Pe. Fábio de Melo

A HORA
DA ESSÊNCIA

4ª reimpressão

Morrer requer liturgia. Da verdade. Viver o rito que é posto diante de nós. Caem as escamas, vedam-se os caminhos, não sobrando mais respiro para as caricaturas que criamos de nós mesmos. A morte exige nudez. Impõe ao ser essencial a retirada das roupagens que lhe foram impostas por tudo aquilo que lhe soprou falsidade. Morrer requer coerência. Fazer o caminho de volta, redescobrir o sabor do manancial da verdade, estar em si, inteiramente reconciliado com as escolhas que o tornaram quem é.

Mas a morte não é um fato isolado, desvinculado da rotina que arregimentamos, o epílogo que se consuma com o último respiro. Não, ela é um pão que esquartejamos diariamente, enquanto vivemos. Mastigamos a morte, mas sem perceber. Todo dia é dia de morrer, realizar o rito litúrgico que repatria o que de nós se perdeu. A vida nos pede holocaustos diários. Expor à lâmina o ódio que nos habita, a tristeza que nos fragiliza, os fracassos que nos envergonham. Sacrificar o que não nos edifica é renovar o pacto com a vida, é estancar a sangria que nos sequestra a vitalidade. E depois do sacrifício a celebração, comemorar cada segundo do que avaliamos belo, justo e verdadeiro.

O resultado de quem sacrifica e celebra é a vida na essência. Nada pode ser mais realizador. Não espere a morte para conquistar tão nobre riqueza.

Copyright © Padre Fábio de Melo, 2021
Copyright © Editora Planeta do Brasil, 2021
Todos os direitos reservados.

Preparação: Thiago Fraga
Revisão: Carmen T. S. Costa e Andréa Bruno
Diagramação: Vivian Oliveira
Capa: Rafael Brum
Imagem de capa: Kevin Carden / Adobe Stock

DADOS INTERNACIONAIS DE CATALOGAÇÃO NA PUBLICAÇÃO (CIP)
ANGÉLICA ILACQUA CRB-8/7057

Melo, Fábio de, 1971-
A hora da essência / Padre Fábio de Melo. – 1. ed. – São Paulo: Planeta, 2021.
264 p.

ISBN 978-65-5535-306-8

1. Literatura cristã I. Título

21-0570   CDD: B869.3

Índices para catálogo sistemático:
1. Literatura cristã

Ao escolher este livro, você está apoiando o manejo responsável das florestas do mundo

Acreditamos
nos livros

Este livro foi composto em Bodoni Std e impresso pela Gráfica Santa Marta para a Editora Planeta do Brasil em novembro de 2021.

2021
Todos os direitos desta edição reservados à
EDITORA PLANETA DO BRASIL LTDA.
Rua Bela Cintra, 986 – 4º andar
01415-002 – Consolação – São Paulo-SP
www.planetadelivros.com.br
faleconosco@editoraplaneta.com.br

Para Ana Claudia Quintana Arantes,
especialista em nos colocar na essência.

*Em memória de minha amiga, Marina Patrus,
que me inspirou a escrever este livro.*

Prefácio

Mais uma manhã de domingo. Amo a vida dentro de um domingo que acaba sempre por me encantar com momentos que podem ser considerados portais de novas etapas de vida.

Assim foi o dia do convite para estar aqui, fazendo o cerimonial deste livro:

"Amiga amada, estou escrevendo um livro sobre uma mulher que está morrendo. E eu queria te convidar para escrever um texto sobre ele. Você aceita?"

Como se houvesse alguma chance de escolher uma resposta diferente do sim, ele repousou seus olhos calmos sobre os meus, incrédulos. Felizes aqueles que escutam perguntas que já trazem em si mesmas a resposta, basta retirar o ponto de interrogação.

Você aceita. Eu aceitei.

A entrada no que você tem agora nas mãos vai ser uma das viagens mais inesquecíveis que fará nesta vida. Pense bem em quem você é. Olhe bem nos seus olhos antes de começar. Você não vai sentir saudades de quem era assim que conhecer quem vai se tornar depois de testemunhar o encontro dessas duas mulheres e seus mundos infinitos de ser. Encontro com o interior de si mesmas, encontro com os seus corações e com a vida que se revela quando se reconhecem.

Ana, ainda que com duas letras a menos do original hebraico (Hanna), segue como a graciosa, a cheia de graça.

Graça é dádiva.

Sofia, do grego literal (Sophia), sabedoria ou o "Verbo" em sua santidade feminina.

Atenta, Ana será vista por Sofia. A graça sendo contemplada pela sabedoria. A sabedoria revelando-se graciosamente. Um encontro único que transformará a vida delas e de todos os que estiverem presentes nesse momento eternizado aqui, no livro-tesouro que já está aberto sob seus olhos.

Graciosidade necessária de quem cuida entregando-se para a coragem de aprender mais de si a partir da experiência humana absolutamente impossível de ser evitada. A morte. A vida que explode e transborda livre por meio dessa consciência.

Eu costumo dizer que diante da morte não é possível viver a partir de teorias. A verdade não é uma teoria; a verdade é uma experiência. Em alguma linha deste livro você vai ler a frase: "A palavra não flui sem antes ter passado pelo batismo da vivência".

Nesse encontro de palavras, pare. Feche os olhos, inspire fundo, mergulhe.

Por algum milagre que não sei quando aconteceu de fato, alguém um dia decidiu que valia a pena me ouvir falar sobre a morte e o quanto ela traz a palavra "vida" impregnada de força e amor ao longo de cada uma de suas entrelinhas de realidade. Como Fernando Pessoa muito já refletiu, a pior forma de solidão é a lucidez incomunicável.

E as pessoas que morrem podem precisar viver assim solitárias até que encontrem alguém que as ouça, alguém que as presencie.

Dizem que na vida, entre todas as escolhas de um extremo a outro, o mais sensato parece ser o caminho do meio. Então, entre a sabedoria e a graça, escolha o meio delas.

Tire férias de sua solidão. E, durante a leitura, fique com Ana e Sofia de mãos dadas para não errar o passo desta vida.

Então vai chegar outra frase que será o sinal de sua capacidade de entrega a essa fatalidade que é viver: "Continue, por favor".

Ana Claudia Quintana Arantes
médica e autora do best-seller
A morte é um dia que vale a pena viver

Não me engano. Até para morrer a vida nos pede competência. Requer coragem olhar o fim, saber-se adentrando o compasso das últimas horas, o derradeiro trajeto a ser cumprido. É doloroso sorver o cálice que não receberá nova porção. Acompanhar a própria morte é ver o vinho se acabando, a taça translúcida a revelar o miúdo da quantidade, o líquido escasseando, a reunião de gotas a sujar o fundo de onde sai a elegante haste de estanho, e o saber que não descansa, o comunicado que a mente faz ao corpo, que a taça não será novamente preenchida.

Estou só. A solidão aguça ainda mais a minha insegurança. As paredes do quarto me protegem do externo do mundo, mas de nada valem. O que me desprotege não mora do lado de fora. O que me ofende nasce sob a pele que me veste. O inimigo se alojou, fez um ninho em minha mente. Arregimenta minhas forças, coloca-as num movimento contrário ao sopro que poderia me reinaugurar.

Morrerei só. Será minha sina. Entre nomes recém-chegados, rostos que não albergam memórias. Em nenhum deles posso encontrar um fio que possa ser puxado, uma ponta do novelo que seja capaz de desatar as histórias de que necessito recordar e contar.

Sim, morrer só tem sentido quando estamos entre reminiscências, ancorados em saudades, aconchegados por histórias que desarticulem o esquecimento, que provoquem o movimento das palavras que alçam o que da memória não se apagou, e que, pela força do tempo, vai se esconder nos labirintos da alma.

Estou distante de todos os que poderiam dar alento ao que sofro. Filha única, perdi meus pais quando ainda era jovem. Casei-me com o primeiro namorado que tive, e fui feliz até o dia em que ele não me quis mais. Disse que o amor tinha terminado. Fez o comunicado, arrumou as malas e se foi.

E, como as explicações não me foram dadas, obrigou-me a guardar as perguntas no peito, subjugando-me à prisão de nunca mais poder tocar no assunto. Sua partida ainda me dói o incalculável. Há partidas que nunca terminam, porque o que se ausenta com a ausência do corpo não se submete ao entendimento da razão. É um ir embora constante, parto que nunca recebe a bênção da calmaria, do sossego das contrações. Por isso, nunca deixei de perdê-lo; por isso, não é mensurável o fosso provocado por sua ausência.

Há pessoas que são múltiplas. Abrigam em si uma infinidade de outras. Perdi muitas pessoas numa só. Meu marido, meu amante, meu pai, meu filho, meu irmão, meu melhor amigo. Quantos partem naquele que parte? Quantos morrem naquele que morre? O amor é um mistério que altera a regra das quantias. Ele nos torna múltiplos, desdobra-se, modifica o antes singular, cria uma infindável série de papéis, fazendo-os viver num só.

De vez em quando, o vazio se disfarça, se acomoda, e, então, temos a breve sensação de que a vida reencontrou o seu rumo. Mas, de repente, o vazio se amplia. O sofrimento é tanto, tanto, que optamos pelos caminhos mais mesquinhos, expondo-nos às mais vergonhosas misérias humanas.

Eu precisava sobreviver. E escolhi da pior forma. Criando um obstáculo entre o marido perdido e o nosso filho. Não suportava sofrer sozinha. Queria que Gustavo – embora não recebesse a rejeição do pai, pois ele continuava absolutamente presente na vida do menino – sofresse o mesmo que eu. Eu precisava punir o meu marido. Não era justo que fosse embora sem que também perdesse. Eu não poderia ser a única a sofrer os golpes da rejeição. E, como eu não era capaz de rejeitá-lo, pois tudo em mim pedia pela sua presença, tratei de lhe oferecer a rejeição de Gustavo, barro moldável que eu tinha nas mãos. Fiz de tudo para que ele internalizasse que fomos trocados, rejeitados, esquecidos. Falei com ele, muitas vezes, como um adulto fala a outro adulto: "O seu pai arrumou outra mulher. Ele não gosta mais de mim nem de você. Ele quer ter outros filhos porque você não foi o suficiente para fazê-lo feliz".

Deu certo. Augusto tentou de todas as formas, mas nada reverteu a rejeição do menino. As visitas a que o pai tinha direito por lei, a guarda compartilhada que o juiz estabeleceu, só foram tentadas no primeiro ano. Quando Gustavo cruzava o limiar de nossa casa, eu já me apressava a fazer o que no Direito estudei e que tem nome específico: *alienação parental*. Fiz consciente. Era a única forma que eu tinha de atingir o coração de Augusto, já que ele nunca fazia questão de me ver nem de me escutar.

Eu sabia que ele seria um excelente pai para o meu filho. Tinha certeza de que em pouco tempo ele seria capaz de fazer o menino gostar da nova esposa, conviver bem com a separação e até de fazê-lo interpretar que tinha sido eu a responsável pela nossa dissolução familiar. E eu não seria capaz de suportar isso. Sua excelência como pai me feriria ainda mais. Queria mesmo é que ele nunca mais cumprisse com as obrigações do sangue, quem sabe assim eu perderia a admiração, quem sabe assim eu viesse a ferir o lugar que a ele erigi em mim, derramaria fel sobre as lembranças que me colocavam diante do pai que ele sempre foi: presente, atento, atencioso, nunca deixando faltar matéria nem amor.

Logo após a separação, Augusto visitou regularmente a nossa casa, mas só ao meu filho ele emprestava o calor da alma. A mim ele se limitava a dedicar a praticidade que não lhe custava esforço emocional, os gestos que não recebiam o invólucro da delicadeza do amor. A princípio eu aceitei o vínculo da praticidade. Ele continuava tendo as chaves da casa, interferia constantemente nos andamentos das coisas. Reforma, jardinagem, seguros a serem feitos, renovados, toda a dinâmica da vida que se presta à submissão dos controles humanos. Mas, quando percebi que sua dedicação em nada me incluía, que tudo me era entregue como consequência, pois ele fazia pelo nosso filho, comecei a derramar o veneno na mente do menino. Deu certo. Depois de muitas tentativas de aproximação, Augusto resolveu não mais insistir. Logo em seguida conseguiu um cargo na Universidade Harvard. Deve ter comemorado o desligamento que viveu do filho. Partiu livre, reconciliado com a consciência, com a nova esposa, sem ao menos me comunicar pessoalmente. Fez tudo por meio do advogado.

Nunca consegui assimilar o fato de ter sido trocada por uma mulher vinte anos mais jovem do que eu. Ainda trago a rejeição feito um espinho na carne. Internalizei todos os detalhes daqueles dias. Talvez eu tenha me favorecido quando fiz questão de conhecê-la. Ritualizei a perda. Quis depositar os meus olhos sobre o seu rosto para que depois eu pudesse desenhar com os dedos o seu perfil perfeito, alinhado, o seu corpo impregnado de juventude, só para magoá-lo com as lâminas cortantes dos meus ressentimentos. Olhei para ela demoradamente, como quem quer decorar uma pintura. Pus atenção na aura leve que arrematava o todo de suas qualidades físicas. Naquele momento, embora tudo em mim sofria e era humilhado, pude entender o conflito que nele se estabelecera. Uma mulher bonita como aquela não poderia ser ignorada por um homem que sempre correu atrás de tudo o que é belo.

Ela era residente no hospital que por ele era dirigido. As afinidades os aproximaram. Ele, doutor renomado, conhecido pela competência médica e administrativa. Homem bonito, elegante, sedutor, é natural que tenha despertado a atenção da moça ambiciosa que possuía os mesmos atributos.

A disputa foi injusta. A recém-chegada administrava franca vantagem sobre mim. Eu abri mão de tudo para cuidar de nossa casa. Quando me casei, fechei o escritório de advocacia que meu pai tinha deixado para mim e abandonei uma promissora carreira acadêmica, limitando-me aos desafios do lar. Em pouco tempo adaptei-me a viver exclusivamente para minha família. E feliz. Nunca lamentei a vida deixada. O convívio com Augusto me bastava. Tanto bastava que a outros fazia questão de doar as sobras de minhas alegrias.

Fui incauta ao aceitar viver somente para ele. Com o nascimento de Gustavo, minha dedicação à casa tornou-se ainda maior. O tempo foi passando e eu não percebi o descontentamento de Augusto. Quando estamos embriagados de felicidade tendemos a acreditar que todos os que nos circundam desfrutam do mesmo torpor.

A rotina estava puindo o manto de seu amor por mim. Mas eu não percebia. É natural que eu tenha perdido os motivos que antes o atraíam. Ele sempre confessou admirar mulheres empreendedoras, capacitadas. Foi justamente por me perceber assim que ele me quis.

Eu o atendi numa consultoria fiscal, recordo-me. Passamos duas horas conversando sobre os encaminhamentos legais para as questões que ele me apresentou. Naquele mesmo dia me convidou para jantar.

Ele costumava dizer que tinha sido amor à primeira vista. Dizia sempre aos nossos amigos – geralmente ao final de jantares regados a bons vinhos e prosa proveitosa – do encantamento que o fez se decidir em viver comigo. Gostava de fazer propaganda de nossa história, como se a partilha dos fatos reforçasse nele os encantos dos primeiros dias. Contava sempre da mesma forma, seguindo um esquema mental, frase por frase, retórica forjada pela força da repetição, burilada pelo tempo.

Eu acreditei que seria para toda a vida. Creio que ele também. Mas não foi. A vida tem regras que nunca se entregam à nossa doma. Há um fato irremediável que nos impõe a cronologia: o amor também morre, porque tudo que está debaixo do céu vive sob as sombras determinantes das impermanências. Até quando não queremos, o amor morre. Até quando lutamos por ele, o amor morre. Até quando somos capazes de ficar até o fim, o amor morre. De modo que nunca, nunca temos a garantia de que o amor hoje jurado possa ver romper a luz de um novo dia.

O sono me abate. É provável que a enfermeira que há pouco entrou no quarto tenha injetado um calmante no cateter que tenho no braço. O mundo ao meu redor está ficando polvilhado de luzes miúdas, como se uma chuva de prata estivesse caindo só para mim.

Deveriam vender esses medicamentos na padaria. Teria sido redentor tê-los ao alcance de minhas mãos. Sem prescrições, sem burocracias médicas. Uma estante repleta. Inteira só para mim. Entraria e pediria à mocinha: "Dois pacotes para dormir, um pacote e meio para ver chuva de prata, três doses para eu esquecer as mágoas...".

A dor teria me dado breves intervalos de descanso. A chuva de prata está caindo. Augusto me sorri. Corro para alcançá-lo, mas sua imagem se desfaz tão logo eu me aproximo.

★★★

Aconteceu. Estou só. Nunca pensei que morreria assim. Antes da separação, sempre fiz questão de casa cheia, mesa posta, amigos que eram inimigos do fim. Nunca imaginei que o crepúsculo de minha vida seria experimentado sob o claustro de paredes desconhecidas. Sempre que eu me pus a pensar sobre o fim, inevitavelmente me imaginava velhinha, rodeada de netos, amparada por mãos conhecidas, sempre solícitas a oferecerem, num mesmo gesto, remédio e amor.

Mas a cena é outra. A velocidade com que a morte me tomou pela mão não me permitiu administrar qualquer escolha. Eu estava retornando à minha casa quando percebi uma escuridão se apoderando de meus olhos. Acordei num leito de UTI. Só então descobri que vinte e dois dias me separavam daquela tarde. A notícia me veio pela voz de um homem que até então me era desconhecido. Doutor Rogério Albuquerque. Comunicou-me que eu havia chegado ao hospital com uma hemorragia grave. Os exames detectaram um tumor no pâncreas. Disse que fui submetida a um processo cirúrgico, e que desde então eu permaneci inconsciente.

Escutei o relato como quem escuta uma história de ficção. Há acontecimentos que só podem ser absorvidos depois de longa maturação. A verdade pede encaixe. Olhei para o homem, até então desconhecido, e lhe pedi que me contasse a verdade. Ele contou. Disse que eu tinha um câncer bastante agressivo e incontrolável. O tumor do pâncreas era secundário. Já tinha tumores nos rins, no intestino e no pulmão. Ele acrescentou que de nada valeria iniciar um tratamento. Mas que eu ficasse tranquila, pois estava empenhado em me oferecer o melhor tratamento paliativo. Em outras palavras, me ajudaria a morrer com menos desconfortos.

Aquele homem e minha sentença de morte. Por um rosto estranho eu fui apresentada a um novo tempo. A voz que nunca me foi familiar deu-me a notícia: meus dias estavam contados. O homem recém-chegado, até então absolutamente irrelevante para mim, riscaria comigo os últimos dias do meu calendário.

Quis saber quanto tempo eu ainda teria. Era a única coisa que me restava pedir. "Mais algumas semanas." Disse-me com naturalidade. Fiquei paralisada. Um frio tenebroso visitou todos os espaços do meu corpo.

Eu não podia acreditar no que estava ouvindo. Não era possível que em tão pouco tempo um intruso silencioso tenha podido conspurcar a vida em meu corpo. Resgatei a voz sequestrada pelo medo e perguntei se poderia morrer em minha casa. Foi a primeira vez que conjuguei em voz alta o verbo morrer. Ele disse que lamentava, mas não. Que só no hospital eu disporia de todos os recursos necessários. Insisti se poderia voltar pelo menos para dar destino às coisas, mas o seu olhar me respondeu sem dizer.

Fechei meus olhos. Quis o direito à solidão. Refiz os passos na direção do portão de minha casa. A lucidez me habitava. A cabeça estava inteiramente preservada das garras invasoras do inimigo que me corroía. Visitei mentalmente cada canto do território de minha pertença. Meu mundo material. Paredes, móveis, objetos, roupas, sapatos, retratos. A materialidade de tudo o que me pertenceu e que, pelo misterioso movimento do tempo, tornou-se espiritual.

Morrer requer planejamento, pensei. Ou não. Tudo depende do quanto consideramos o que deixamos. A morte é também a despedida das coisas. Muito mais do que das pessoas. As coisas estão atadas ao que delas sabemos. Os estranhos não saberão ver o que vemos. O misterioso significado inscrito pelas mãos da vivência. Um bule sobre o fogão pode ser apenas um bule sobre o fogão. O cárcere do conceito. Mas, para quem cresceu derramando dele o café de cada dia, o bule passa a ser um fragmento da vida espiritual que o amor proporcionou viver.

Pessoas se encaminham por si sós. As coisas, não. Não podemos ser indiferentes ao significado da matéria que empresta sentido à nossa vida. Mas também é pretensão infundada pensar que alguém se encarregará de amar o que amamos. Amor não se herda. Cada um receberá a seu modo o que pelo outro foi amado.

Eu estou privada de retornar ao meu mundo. Não tenho alguém que o faça por mim. Noêmia poderia, mas, desde que eu a dispensei, enfiou-se no interior onde nasceu e nunca mais deu as caras.

Eu quero muito pouco. Apenas o direito de oferecer destino, custódia confiável à matéria que fez sentido para mim. Eu quero pouco, quase nada. Dar destino aos álbuns de fotografia, à louça que herdei de minha avó, a tantas miudezas que são importantes para mim...

Eu queria fazer o movimento final das chaves, e só.

— A senhora tinha algum sintoma? — A pergunta do médico quebra o meu devaneio.

— Há alguns meses observei falta de apetite. Mas atribuí ao meu estado emocional.

— Só isso?

— Nos últimos dois meses sentia muito desconforto estomacal.

— E não procurou um médico?

— Não. Em nenhum momento achei que necessitava.

— É difícil precisar, mas é provável que o tumor inicial tenha sido no fígado. A senhora costuma ingerir álcool?

— Não, já bebi socialmente, mas há muitos anos não bebo.

— Bem, de nada vale agora pensar nisso.

O médico afigura-se arrependido do que disse. E com razão. A pergunta parece erigir um tribunal desnecessário, um julgamento que não mudaria em nada o rumo da minha história. Ele agora revira seus prontuários, rabiscando folhas na prancheta que tem nas mãos. Fico observando seus movimentos e naturalmente vou fechando os olhos, como se meu esgotamento energético me pedisse um esquecimento de tudo. E, mais uma vez, o peso monstruoso da sentença de morte volta a me invadir.

★★★

Com os olhos fechados tento recobrar os instantes que antecederam a minha queda. Os ruídos provocados pelo médico estão ficando cada vez mais distantes. A minha mente vai me transportando à rua da minha casa. A lucidez me invade.

Refaço a cena. Tudo está diante de mim. A correspondência. Eu tinha a correspondência nas mãos.

Eu estava ansiosa para chegar à minha casa. O coração batia acelerado. O delegado Miguel Sampaio havia deixado um recado na caixa postal do meu celular, pedindo que eu o procurasse o mais rápido possível. Tinha sido deixado dois dias antes. Eu não havia percebido que existia um recado. Tão logo tive conhecimento de seu pedido, fui imediatamente procurar por ele na delegacia.

A gravação não esclarecia muito. Limitava-se a dizer que tinha um fato importante a me comunicar sobre o desaparecimento de Gustavo. Havia um entusiasmo em sua voz. Eu estava repleta de esperança. Não de que meu filho tivesse sido encontrado, mas de que eu finalmente resolveria o enigma de seu desaparecimento.

Cheguei apressada à repartição e o atendente me fulminou com a notícia. O delegado estava morto. Foi assassinado no mesmo dia em que deixou o recado em minha caixa postal. O assassino o abordou no portão de sua casa.

Atônita, procurei um lugar para me assentar. O delegado havia se tornado um amigo. Sim, para quem não tem mais ninguém, qualquer vínculo torna-se importante. O atendente desconhecia o vínculo que nos unia. Um choro descontrolado irrompeu-se. Ao perceber minha desolação, tentou se desculpar. Eu o alforriei da culpa. Ele não podia imaginar que a morte daquele homem fragilizava ainda mais as estruturas do meu mundo. Meus motivos lhe eram alheios. Para quem tudo perdeu, as estranhezas não duram. O delegado Miguel conhecia os detalhes de minhas perdas. Foi além. Ouviu-me em demoradas confissões. Foi paciente, doeu-se por mim.

Depois de um copo com água, falei ao atendente sobre o telefonema. Ele disse que conhecia um pouco da minha história. O delegado havia comentado com ele sobre o sumiço do meu filho. Enquanto conversávamos, aproximou-se uma senhora que se apresentou como assistente do delegado Miguel. Eu nunca tinha visto aquela mulher, mas ela sabia quem eu era. Ela tinha um envelope nas mãos. Disse que tinha sido deixado por ele. Contou-me que ele havia procurado por mim, mas, como não havia obtido sucesso, resolveu me deixar aquela correspondência. Segundo ela, Miguel embarcaria para um curso de segurança em Israel. Ficaria ausente por dois meses e estava muito ansioso para me encontrar antes de embarcar. Mas o seu destino foi brutalmente interrompido.

Ao me entregar o pequeno envelope, a assistente revelou um sorriso triste tomando conta de seus lábios. Ela estava mergulhada na contradição que aquele papel pardo representava. É certo que nele existia uma informação que para o delegado era importante. Por isso fez tanta questão de me entregar o mais rápido possível. Por outro lado, aquele homem estava morto. A assistente segurava o punhal de dois gumes. E os seus olhos tristes não me pouparam.

— Eu não sei o que tem aí, mas certamente é o desfecho da investigação.

— Obrigada.

Quando passei os olhos sobre o envelope, meu coração quase me saltou pela boca. A caligrafia elegante do delegado

Miguel desenhou esperança sobre a minha alma. "Para Sofia Dorneles de Freitas." A frase inscrita no pardo do papel me deixou transtornada. Agradeci aos dois e saí apressada.

Recordo-me de ter descido as escadarias e ganhado a rua como quem quisesse alcançar o primeiro lugar de uma maratona importante. É possível medir a distância que nos separa de um sonho? Creio que não. Aquela frase estava prenhe de promessas, prendendo-me à possibilidade de resgatar o desfecho de um acontecimento sob sombras, exilado nos desconhecidos do mundo.

Há tempos buscávamos algo novo sobre o desaparecimento de Gustavo. Eu queria ler o conteúdo daquele envelope, ainda que fosse para me fazer chorar o choro da perda definitiva, da certeza de que meu filho estava morto, e que a partir daquele momento cessaria o conflito da dúvida. Mas também poderia ser para me encher de esperanças, para me contextualizar com descobertas que apontassem para um paradeiro que meus pés pudessem alcançar, um destino que me colocasse diante de Gustavo, ainda que fosse para vê-lo de longe, vivo, firme em sua decisão de manter-me afastada do mundo que ele havia escolhido para ser seu.

Sim, todas as possibilidades me ocorreram ao longo desses dois anos, mas essa era a que mais me parecia plausível. É provável que seja consequência do fato de ter sido abandonada por Augusto. A rejeição é a mãe das inseguranças. Vai ver ele se cansou do mundo miúdo que eu lhe concedia. Vai ver ele descobriu que estava reduzindo suas possibilidades permanecendo ao meu lado. O amor de um filho pela mãe também é vulnerável à ação do tempo. Amores terminam quando não cultivados. Ou quando somos deflagrados em nossos egoísmos. Existe a possibilidade de que Augusto tenha conseguido reaproximar-se de Gustavo. Estando próximo, em outro momento, já com os filtros da maturidade ajudando-o a distinguir a verdade da mentira, tenha entendido o meu plano de afastá-lo do pai. E, indisposto ao enfrentamento que precisaria viver comigo, resolveu partir, ficar ao lado do pai que tanto lhe fez falta.

A correspondência iniciava em mim a resolução do conflito. E, por isso, eu estava voltando tão apressada para casa. Trazia nas mãos uma resposta esperada, uma revelação abrigada num envelope pardo, a devolução de uma parte importante da minha existência, que até então estava perdida.

Eu queria abri-lo em casa. Queria ler com vagar cada palavra ali escrita. Minha vida estava profundamente ligada àquela caligrafia. Criaria um ritual para passar meus olhos sobre ela. Seria no quarto de Gustavo. Sim, eu queria ler aquela carta sentada em sua cama.

Mas a leitura não aconteceu. A vida não me permitiu. A revelação permaneceu sepultada naquele envelope. A escuridão que se apoderou dos meus olhos me privou do destino final que eu tanto desejava alcançar.

★★★

O toque delicado no meu braço me devolve à realidade.

— Nunca deixe de dizer se houver alguma dor. Estamos aqui para minimizar os seus desconfortos.

— Muito obrigada, doutor!

— Resolvemos retirar você da UTI para poder desfrutar um pouco mais de conforto. Ainda hoje teremos uma enfermeira que ficará o tempo todo com você durante o dia. À noite as plantonistas vão se revezar.

— Preciso de uma informação, doutor.

— Pois não.

— No dia em que passei mal, no momento em que caí, eu estava segurando um envelope. Por acaso o senhor sabe do paradeiro dele?

O doutor me olha com estranheza. Noto que ele está absolutamente alheio ao que lhe pergunto.

— Eu tinha um envelope importante nas mãos. Queria muito saber se alguém o guardou para mim.

— Desculpe-me, Sofia, mas eu não tenho conhecimento desse envelope.

— O senhor sabe me dizer quem me ofereceu socorro?

Faço a pergunta e imediatamente percebo o quanto é estúpida. Ele é o oncologista responsável por mim. A minha entrada foi no pronto-socorro. Ele só deve ter assumido o caso horas mais tarde, quando identificaram a necessidade de minha cirurgia.

— Desculpe-me, mas não sei dizer. Eu fui chamado para assumir o caso dois dias depois que a senhora deu entrada no pronto atendimento. A senhora chegou com perda de consciência. Num primeiro momento, os plantonistas limitaram-se a reanimá-la. Notaram que a senhora tinha uma ascite importante. Foi por causa dela que eles iniciaram a investigação. Nas tomografias e ressonâncias identificaram os tumores. Foi nesse momento que me convocaram para eu dar meu parecer. Depois do parecer fomos para a cirurgia.

Enquanto o médico me explica, o meu pensamento sai em busca de soluções. *Alguns transeuntes*, penso. O socorro certamente foi chamado por alguém que passava por ali. Todo mundo tem celular nas mãos. Quem solicitou o serviço certamente não me conhecia. Sou mulher de vida absolutamente reservada. O tempo passou e eu me tornei uma desconhecida no meu bairro. Quis que fosse assim. Logo após a minha separação, nunca mais quis vida social. Passei a viver em torno das necessidades de Gustavo. Minhas únicas saídas eram para fazer seus deslocamentos. Quinze anos são suficientemente longos para derramar sobre nós o breu do esquecimento. O bairro é grande. É fácil a gente ser desconhecida pelas ruas onde tudo se torna diariamente tão impessoal. Certamente ninguém sabia quem estava sendo socorrida. Minha casa fica numa região tranquila. A vizinhança não se interessa em saber quem mora ao lado. Rotina reduzida a acenos cordiais, por ocasião de breves encontros, e só.

Retorno do devaneio com a pergunta do médico:

— Posso saber o que tinha no envelope?

— Era um envelope importante, doutor. Só isso.

— Lamento muito, Sofia. É impossível sair às ruas para localizar quem lhe prestou socorro. Muitos dias já se passaram. Se alguém tivesse recolhido, certamente teria deixado com a equipe de socorristas que a atendeu.

Ele tem razão. Uma desolação profunda me abate. A perda da correspondência acrescenta um peso a mais à minha sentença de morte.

— Desculpe-me se estou sendo indelicado, mas o envelope continha algo de valor?

— Sim, muito valor.

— Dinheiro?

— Não. Ele tinha uma informação que havia muito eu esperava.

— Infelizmente não sei se tenho como ajudar, Sofia, mas posso descobrir qual foi o médico que a recebeu naquele dia.

— Faz isso por mim?

— Claro que faço!

Sua cumplicidade me atinge. Para quem está tão negada de afetos, qualquer expressão de cuidado comove. Choro compulsivamente. As lágrimas me doem. Sim, até para chorar é preciso ter saúde. O movimento inevitável do choro faz com que todo o meu corpo lateje. O médico permanece em silêncio. O seu olhar está em mim. Olha-me com piedade, aguçando ainda mais a minha sensação de desolação.

Depois de respeitar o meu tempo, ele segura a minha mão e pergunta:

— Gostaria de trazer alguém para ficar com você? Precisa que a gente faça algum contato? Pelo que me consta, você mora sozinha aqui.

Ele não sabe muito a meu respeito, mas certamente já conhece a minha solidão.

— Eu não tenho ninguém, doutor. Sim, moro sozinha, não tenho funcionários e meu ex-marido mora atualmente nos Estados Unidos. Há muitos anos não falo com ele. Há um advogado que intermedeia minhas necessidades, mas não acho importante comunicá-lo. O único filho que tenho está desaparecido. A correspondência que perdi naquele dia trazia notícias sobre ele.

O doutor Rogério insiste:

— Mas não há nenhum familiar ou amigo que você queira comunicar, ou que possa vir lhe fazer companhia?

— Não, doutor. Meus pais já faleceram, não tenho irmãos e nem proximidade com parente algum. Os amigos que eu tinha eram amigos do casal que éramos. Tão logo o casamento se desfez, eu não fiz questão de manter os vínculos.

Ele continua me olhando silenciosamente. Um olhar misericordioso, como se quisesse assumir um pouco do meu fardo de ser tão só. Quebrando o silêncio desconcertante que minha confissão havia provocado, ele põe a mão sobre a minha testa, sorri com tristeza e me diz:

— Não sei se posso ajudar em alguma coisa, além de minha ajuda como médico, mas pode contar comigo para o que precisar.

— Obrigada.

Não tendo mais nada a ser dito ou a ser feito, ele me deixa sozinha.

★★★

Sozinha eu já estava. Sempre estive. É que agora a solidão virou lua cheia. Ainda que o médico esteja me oferecendo o alento de sua companhia, que se disponha a estar ao meu lado, ultrapassando a dimensão técnica de seu ofício, nada pode me arrancar deste desolador estado de solidão.

A morte é uma realidade que não pode ser partilhada. Morre-se sozinho, ainda que amparado por mãos de outros. Morrer é desacontecer. E este desacontecimento que experimento só é partilhável em partes. Ele é quase todo meu. Um cuidado que recebo, um alento oferecido sob o disfarce de um medicamento, tudo isso eu posso compreender a partir da solidariedade que o fim desperta, mas o caminho que agora ando por dentro, o trajeto que me encaminha ao momento final, esse eu o faço sozinha.

Passo meus olhos pelo quarto. Nada nele me parece familiar. Muito diferente do meu. Sem cor, sem vida, sem significados. A cama, os lençóis brancos com listras estreitas azuis, uma cadeira vazia no canto, uma televisão pendurada na parede e um arsenal de aparelhos esparramados ao meu redor, tudo sob o comando da impessoalidade. Nada neste ambiente foi escolhido a partir de um gosto particular, desejado como composição de um espaço afetuoso.

Tento me mexer. Tudo dói. Experimento a tenebrosa consciência da imobilidade do meu corpo. Nenhum movimento posso realizar. Quero erguer uma das pernas. Impossível. No corpo paralisado tantas outras coisas se paralisam. As esperanças carecem da matéria física para lançarem brotos. A imobilidade cessa a procura, a busca que nos últimos dois anos regou de sentido a minha existência. Na composição física onde me experimento indigente, na estrutura corpórea onde a morte realiza seus rituais, as esperanças também se rendem à atrofia.

Não posso ir procurar o filho que foi perdido, o fruto único, nascido de minhas entranhas. O corpo filiado que numa manhã de setembro saiu para correr e nunca mais voltou.

Durante os últimos dois anos eu o esperei chegar. Preparei casa e coração. Fiz doces, bolos, poemas, promessas. Concentrei todos os meus esforços para reencontrá-lo, ainda que morto. Um filho perdido não cabe no entendimento. O vazio deixado é grande demais para caber nos espaços da casa. A dúvida e o desconhecimento são uma adaga que penetra diariamente o coração materno. O corpo sumido, vaporoso, já sem carnes, sem ossos e sangue, caminha pelos espaços vazios da alma. À mãe nunca lhe é permitido o sono dos justos. Porque um filho perdido chora sem cessar, na casa da memória.

A procura cessou. Não como eu queria, mas cessou. Foi finalizada naquela tarde, quando eu atravessava a rua de minha casa, quando eu já alcançava o portão que me devolveria ao mundo que me pertencia: meu lar; o lugar onde roupas continuavam penduradas e dobradas nos armários, para que nada me parecesse fora de ordem, como se a solidão fosse breve, prestes a ser desfeita com o abrir da porta, o grito que restituiria a paz perdida. *Mãe, cheguei!* O quarto nunca desfeito, pronto para um filho ausente, era o sinal visível daquele amor, minha tentativa de sobreviver.

Minha casa tornou-se o depósito de minhas perdas, o ancoradouro onde alojei minhas ausências, o altar onde a matéria fala com a mesma voz com que falam as bocas.

Eu nem cheguei a alcançar o portão de entrada. Alguns passos me distanciavam dele. Minha última lembrança foi ver a rua ser engolida por uma névoa escura, como se a noite se antecipasse sobre as horas do dia e resolvesse deitar suas sombras sobre nós.

O envelope estava preso às minhas mãos. Não sei o destino que teve. É provável que tenha sido ignorado pelos que me socorreram. É possível que tenha ficado na calçada, levado pela força do primeiro vento, desintegrado pela primeira chuva, caído na sarjeta, condenado ao esquecimento.

O envelope perdido, metáfora de minha vida. O elo rompido que não me permitiu saber, ainda que em partes, a verdade que havia dois anos eu perseguia incansavelmente.

Olho para o quarto. A imobilidade me angustia. O mal que me hospeda me consumirá. Tudo se dará sob olhares estranhos, sob a tutela dos que escolheram ganhar a vida minimizando os efeitos da morte. Terminarei o curso dos meus dias com uma infinidade de desejos que mantive à sombra, ofuscados pelos medos que gerei e nutri. Todos silenciados pela necessidade de buscar respostas para as duas grandes perdas que vivi. O tribunal particular onde estou me revela: morrerei sem ter feito o que eu queria. Sim, nada pode ser mais tortuoso. Tenho que conciliar minha imobilidade com as cobranças que agora me faço.

Estou cativa nesta cama de hospital. Nada mais posso esperar. Tudo está irremediavelmente perdido. Marido, filho, o envelope, a vida.

★★★

O médico retorna. Fecho os olhos ao perceber a sua entrada. Não quero nem ouvir nem falar. O silêncio me alforria de precisar dizer o que ainda não está pronto em mim. Há entendimentos que só florescem com o tempo. A palavra que procuro é uma semente que demora para romper a margem dos lábios. O que sinto ainda está sob o estigma da incomunicabilidade. É um sentimento que viceja nas locas de minha alma, estreitos espaços que não acesso com facilidade.

Percebo que mais alguém está com o médico. Deve ser uma enfermeira. Ele faz a ela algumas recomendações. Não presto atenção na prescrição da rotina que deverá ser observada. Prefiro não saber. Nada estará a serviço de minha cura. Em nenhum lugar do mundo há um recurso que possa paralisar a morte que percorre meu ser. Só terei acesso aos cuidados paliativos que diminuirão os desconfortos, como claramente me disse ele.

Desconfortos. Há tempos eu não sei o que é viver sem eles. Estão tão impregnados em mim. Mas agora é diferente. Falam de outros. Físicos. Mas também emocionais. Estou perdendo a vida. Terei de conviver com a certeza de que a morte me ronda. Não que antes eu dela estivesse livre, não. É que agora ela é consciente. A todo instante eu terei de assumir que não há nada a ser feito, que a medicação que corre pelas minhas veias não tem outra função a não ser minimizar a dor.

Morrer dói. Sempre dói. Dizem que o infarto provoca uma dor lancinante. Creio que a minha também doerá. Não tenho ideia do que os tumores provocarão, mas sei que não será fácil enfrentar. Estou aqui. Como sempre estive. Como já disse, até para morrer a vida nos pede competência. Faço questão de ter. Há anos eu me sinto sem vida. Augusto me matou no dia em que foi embora. O que sobrou para Gustavo foi uma mãe morta, desvalida, incapaz. Depois, com o desaparecimento do Gustavo, a única parte que permaneceu viva em mim foi a que procurava por ele. Havia muito tempo eu já estava sepultada. O que agora preciso enfrentar é semelhante ao que já enfrentei. Apenas com algumas alterações. A certeza da morte me obriga a mudar minha rotina. Preciso descredenciar as prioridades que me moviam. Sob o fardo do oculto que me mata, perco naturalmente a necessidade de ir em busca de Gustavo, saber o que aconteceu, trazê-lo de volta para casa, ou sepultá-lo definitivamente. Cessou a busca. E sem solução. A proeminência do fim desconstrói tudo o que julgamos ser importante. Nenhum outro desejo pode ser anterior ao desejo de estar viva. Uma reviravolta conceitual. Eu que sempre coloquei o desejo de reencontrar meu filho à frente do desejo de viver, aprendo: nem tudo o que sentimos é verdadeiro. Os sentimentos nos traem constantemente. É dolorosa essa investigação, mas necessária. A vida não tolera ficar em segundo plano. Em hipótese alguma. É egoísta. Somente depois dela é que as outras coisas podem ser colocadas na pauta do dia. Mais cedo ou mais tarde, ela mostra quem é que comanda o jogo.

Que ironia. De repente, como se a imposição de uma verdade me encaminhasse a uma súbita conversão, passo a compreender o que antes permanecia velado. Cá estou eu, a implorar que a vida me perdoe, que aceite minhas desculpas, que considere a fragilidade que me levou a priorizar o retorno de meu filho, em detrimento de tudo o que eu precisava curar em mim. Quero muito pouco. Um fio de vitalidade, um sopro, ainda que breve, que me permita reassumir o controle do corpo, a disposição de retornar à minha casa e encaminhar o destino do que vai restar.

Só queria deixar este quarto, voltar à minha casa, tomar um banho sozinha e reencontrar o ser que fui antes das perdas, antes de ter sido enclausurada pelos conflitos que drenaram a minha vida.

Queria viver algumas horas com a disposição de antes, das tardes em que a satisfação me dominava, em que eu vivia imersa no contentamento por saber-me amada, aguardando marido e filho retornarem de seus mundos, completando a trama de minha existência, como se fossem peças de um mosaico que sempre me emprestou fascínio. E depois morrer. Mas antes esse retorno. Para ressentir, voltar a provar o sabor delicado da alegria, o sopro que nos faz vivos.

Estou confusa. Já ouvi falar que muitos tumores nascem de ansiedades, sofrimentos que não sabemos administrar. Pode ser que tenha sido assim comigo. É provável que eu tenha alimentado o intruso com minhas angústias. Pode ser que eu mesma tenha semeado o mal que me consome. Mas isso não importa. Esse saber não altera o meu estado, tampouco me coloca na possibilidade de ser por ele ouvida. A vida já promulgou a sentença, não há nada que eu possa dizer, embargar, ao qual recorrer.

    A cura só é possível aos que se movem interiormente pela força da esperança. Estou mergulhada numa letargia que não pode ser modificada. O médico já me deu o ultimato. Não terei tempo para isso. Minhas energias estão escassas para serem gastas com algo que não seja esperar pelo fim. Eu preciso reunir forças para saber morrer. O dia final está próximo e o medo está em mim. Gostaria de falar com alguém sobre isso. Impossível. A morte é um aprendizado solitário. Não há mestres que nos ensinem a arte de morrer. Não há escolas onde possamos encontrar um didático a ensinar os passos finais. Nunca encontrei alguém que tenha morrido para contar-me a respeito. O que tenho é a vida, este tempo verbal enfadonhamente conjugado pelo meu corpo, fadado ao estreitamento que me leva a deixar de ser. O que tenho é o doído da solidão. Saber-se aprisionada em mim. Ninguém a notar o que no interior do coração se passa. O pensamento sem um espaço para a partilha. O todo da angústia no estreito do peito. A lágrima que ninguém vê, o grito que ninguém escuta, a dor que ninguém percebe. Passado e presente. É com eles que preciso me ajeitar. O futuro que me espera será tão breve quanto o respiro que agora realizo.

★★★

Alguém bate à porta. Não respondo. Ouço o barulho da abertura. Continuo com meus olhos fechados. Os passos me indicam que a pessoa que entrou está de salto. Estranho. Até então eu não vi nenhuma médica ou enfermeira usando sapatos de salto. Os ruídos se aproximam. Tem um perfume bom, não doce. Lembra-me as águas-de-colônia do passado, dos tempos idos em que os perfumes eram delicados, sugerindo limpeza e bem-estar. Silêncio. Mesmo tendo os olhos fechados, sei que a pessoa está aos pés da minha cama. E me olha. Sei que me olha. Embora esteja curiosa para saber quem é, continuo quieta, esperando que a iniciativa seja da recém-chegada. O silêncio se aprofunda. É tão denso que chego a sentir o seu peso sobre o meu corpo. Eis que uma voz invade o quarto, cantando:

Ainda é cedo, amor
Mal começaste a conhecer a vida
Já anuncias a hora da partida
Sem saber mesmo o rumo que irás tomar.

Preste atenção, querida
Embora eu saiba que estás resolvida
Em cada esquina cai um pouco a tua vida
Em pouco tempo não serás mais o que és.

Ouça-me bem, amor
Preste atenção, o mundo é um moinho
Vai triturar teus sonhos, tão mesquinho
Vai reduzir as ilusões a pó.

Preste atenção, querida
De cada amor tu herdarás só o cinismo
Quando notares, estás à beira do abismo
Abismo que cavaste com teus pés.[1]

O vibrato da voz ainda caminha pelo quarto, amplia-se, fazendo com que a palavra *pés* continue ressoando dentro de mim.

— Que voz linda você tem.

Falo sem abrir os olhos. É uma tentativa de preservar o encantamento vivido.

— A voz é o resultado de dois caminhos. Um que está em mim, outro que está em você. A beleza é relativa, pois depende do caminho de quem ouve. Se você achou bonita, é sinal de que nossos caminhos se encontraram e compuseram um bonito lugar.

— Sim, muito bonito!

— Você conhecia essa música?

— Já tinha escutado, mas foi a primeira vez que a ouvi.

— Perfeita a distinção. Escutar é diferente de ouvir. Gostou do que ouviu?

— Você é muito atrevida. Cantar isso para alguém que sabe que vai morrer é muito audacioso.

— Mas a delicadeza da melodia põe proteção nas agulhas das palavras. O ferimento não é para fazer sofrer, mas para curar.

---

1. Trecho da música "O mundo é um moinho", de Cartola.

— Não sei se ainda posso ser curada.

Ainda é cedo, amor,

Mal começaste a conhecer a vida.

— Pois é. Nem cheguei a conhecer e já estou de partida.

— Sofia, Cartola tem razão. O mundo é um moinho. A tudo tritura e reduz a pó.

— Você falou o meu nome de forma diferente. Todos os que entram aqui falam com voz de prontuário.

— Eles são técnicos, lidam com muitas pessoas todos os dias. Até gostariam que fosse diferente, mas infelizmente não é. Sabem que cada pessoa é única, mas o excesso de trabalho nem sempre permite a familiaridade.

— Escutar o nome da gente nos remete a tantas coisas. Boas e ruins.

— Sim, o nome é a casa da memória. Sempre que alguém o diz, evoca muito do que sabemos emocionalmente sobre nós.

O ruído do salto volta a acontecer. Os passos agora se aproximam pelo meu lado esquerdo. Continuo com os olhos fechados. O cheiro bom tornou-se ainda mais intenso. Sei que a mulher está ao meu lado.

— Sofia, assim que você resolver abrir os olhos, terá a oportunidade de ver a amiga que a ajudará a viver o seu epílogo. Não sei se pretende ritualizar essa descoberta.

— E como poderia ritualizar isso?

— Não sei, talvez pedindo que a direção do hospital envie a banda municipal aqui ao quarto.

Abro os olhos movida por um sorriso natural que a fala me despertou.

— Muito prazer, sou Ana Flores.

Ana Flores. Repito o nome. Ana me sorri. Um sorriso largo, bonito, vivido, experimentado pela vida, certamente o fruto recolhido depois de muita dor. Ana é negra, tem os olhos grandes, o rosto viçoso, os cabelos encaracolados emoldurados por uma faixa florida, repleta de cores. Ana é alta, nem gorda nem magra, um corpo elegante, forte, casa da vida, como se cada pedaço de si estivesse multiplicando vertiginosamente a energia de que necessita para viver.

— O prazer é todo meu, Ana.

— Sofia, eu sou enfermeira e há cinco anos coordeno a UTI deste hospital. Eu estava de plantão no dia em que você deu entrada lá. Acompanhei todo o seu processo, e, ao saber que você não tinha ninguém, solicitei ao doutor Rogério que me permitisse lhe fazer companhia.

— Mas e o seu trabalho?

— Eu tenho férias para tirar, meu amor. Vou aproveitar a ocasião.

— Mas tirar férias para me fazer companhia? Não é justo.

— Sofia, por favor, não me pergunte o motivo, eu também não sei, mas, desde o dia em que você entrou na UTI, permanecendo sob nossos cuidados, decidi que, caso você tivesse a oportunidade de ir para o quarto, eu gostaria de acompanhá-la. Por favor, não me pergunte por quê. Eu só estou aqui porque escutei esse pedido. Foi claro como a luz do dia. Não foi você quem me fez. Ele nasceu de mim, e eu não costumo desconsiderar o que solicita minha vontade. Gosto de obedecer a ela. Nunca erro.

— Mas...

— Não existem mas, correto? Eu escolhi estar aqui e assim será. A não ser que você não tenha gostado de mim e queira solicitar outra pessoa.

— Imagina, de jeito algum.

— Que bom, mesmo porque você não encontraria uma pessoa tão maravilhosa quanto eu.

Ana termina a frase e cai num riso puro que me faz rir também.

— Então não ousarei perder a oportunidade.

— É a atitude mais sábia, querida. Dormiu bem?

— Nem sei lhe dizer. Não me levanto desta cama desde que cheguei a este lugar. Já não sei mais dizer se é dia ou se é noite.

— Pois isso vai acabar. Vamos começar a usar a poltrona para que passe boa parte do dia sentada. Quem está precisando ficar deitada por horas e horas sou eu.

Sorrimos juntas. Mesmo sem acreditar na possibilidade de voltar a erguer meu corpo, retirando-o daquela posição em que parecia estar engessado, resolvi aquiescer à proposta.

Ana tem voz harmoniosa. Possui uma tessitura em que tons graves, médios e agudos estão perfeitamente mixados. Reconheço em sua fala uma musicalidade revestindo as palavras. Enquanto fala, Ana começa a injetar medicamentos no cateter que tenho no braço. O ardido provocado pelo líquido a invadir o corpo já me é familiar.

— Sofia, que cabelos bonitos você tem!

A emoção me visita. Há muito tempo eu não recebia um elogio. O último foi de Gustavo, na noite anterior ao seu desaparecimento, quando, chegando da faculdade, ele me encontrou na sala de televisão. Olhou-me com vagar, aproximou-se, segurou meu rosto e me disse: "A senhora está muito bonita hoje!". Sorri desconcertada e disse que eu estava com a mesma cara de sempre. "Seus cabelos são bonitos, minha mãe!", completou.

Ainda me recordo da moldura de cada palavra dita. A voz sob aquele formato terno alcançou o mais profundo de minha alma. Era como se ela suprisse todas as ausências provocadas pelo seu pai. Gustavo acompanhou de perto o meu sofrimento. Foi ao seu lado que eu sorvi, gota por gota, o sofrimento que a separação me causou.

A desolação é proporcional às alegrias perdidas. Eram muitas. Éramos tão felizes. E a desconstrução foi abrupta. Tudo me parecia tão harmonioso. Sem que houvesse alguma preparação, quando nada parecia fora do lugar, Augusto disse-me que iria embora. Foi um ir embora de uma vez.

— A Sofia continua aqui ou foi dar uma volta?

A pergunta de Ana me devolve ao mundo.

— Obrigada pelo elogio, Ana, mas eu sei que ele é fruto de sua boa educação. Sei que meus atrativos físicos há muito se despediram de mim.

A lágrima desce pelo meu rosto e encontra o canto de minha boca. Sinto o seu sal. Ela tem o gosto da vida. O sal é a matéria orgânica que neste momento representa a minha história, penso. Tudo em mim é sal. Meu corpo está sendo salinizado aos poucos. Estou semelhante ao mar Morto, cujas águas impedem o crescimento de qualquer ser vivo, por ser excessivamente salgado.

Ana passa a mão pelo meu rosto, enxuga os resquícios da lágrima descida e inicia uma carícia em minha cabeça. As mãos se movimentam com ternura. Fecho meus olhos. Permito que cada detalhe daquele toque alcance o mais profundo do meu corpo.

— A sua beleza continua aqui, Sofia. Pode até estar ligeiramente alterada, mas continua aqui. Porque só deixamos de ser quando já não estamos. E você ainda está. E, enquanto estivermos, podemos trazer a beleza de volta.

As mãos de Ana dançam delicadamente sobre a minha cabeça. O carinho me devolve ao tempo em que me deitava no colo de meu pai. Ele tinha o hábito de fazer carinho em mim, assim como agora Ana o faz. A ternura dos gestos ultrapassa o corpo que recebe. É na alma que ele derrama seus melhores efeitos. A mão que afaga acorda o que em mim é imaterial. O descampado recebe sombra, o antes árido recebe a chuva, o solitário recebe visita. Aos poucos, bem aos poucos, a respiração ofegante vai dando lugar a uma respiração tranquila.

Adormeço.

★★★

Acordo. O quarto já está com as persianas abertas. A luz calma da manhã polvilha os espaços. A alteração do ambiente, por menor que seja, me dá a sensação de ter trocado de quarto. Não vi passar a noite. Dormi profundamente. Próxima à janela está uma poltrona reclinável que também tem os mesmos aparelhos que estão fixados na cabeceira da cama. Ana está acompanhada. São dois enfermeiros homens preparados para me conduzirem ao novo lugar.

— Bom dia, menina Sofia! Hora de sair desta cama!

A voz entusiasmada de Ana não me encoraja. Estou temerosa do que possa acontecer. Sem dar tempo aos meus medos, os dois rapazes ajeitam seus braços por debaixo de meu corpo e me erguem. Tudo me dói. Solto um gemido que imediatamente é abafado pela voz conselheira de Ana.

— Procure relaxar, Sofia. Nada de ruim vai acontecer a você. Daqui a pouco você vai nos agradecer por estarmos retirando-a desta prisão. Aproveite a oportunidade. Não é sempre que temos dois homens fortes e bonitos dispostos a nos carregar no colo.

Acho graça, mas nem consigo rir. Tudo me dói. Com precisão e sem demora, sou colocada sobre a poltrona. Ana ajeita os travesseiros sob a minha cabeça. Só então soltei o riso que tinha ficado preso. Sinto o corpo se acomodando ao novo espaço, e aos poucos já estou me sentindo grata pela mudança proposta.

— Obrigada, Ana. Eu não acreditava que voltaria a sair da cama.

— Para isso estamos aqui, meu amor. Fazer por você o que não pode fazer sozinha.

— Obrigada.

A palavra curta está repleta de significado. Estou realmente grata por receber o direito de me deslocar. A privação revela o que antes permanecia oculto. Coisas simples, quando negadas, avolumam-se. O direito de ir e vir. Poder acordar, abrir as janelas, passar uma vassoura na casa, buscar o pão na padaria, ir ao mercado, preparar o almoço. A rotina que até então era desprovida de encanto, de repente, por conta da privação vivida, torna-se luxuosa, desejada, repleta de sentido. Como se lesse meus pensamentos, Ana põe-se a dizer:

— Sofia, ocupo o meu tempo aliviando o sofrimento dos outros. Aprendi grandes lições realizando esse ofício. Quando as privações são muitas, até mesmo o menor dos acontecimentos merece ser comemorado.

Ao terminar de dizer, tirou uma barra de chocolate da bolsa e a balançou no ar.

— E para esta comemoração temos esta mulata. Vamos comê-la inteirinha. E sem culpas. Não estamos de dieta.

— Mas eu posso comer chocolate?

— Claro que se eu perguntar ao doutor Rogério ele dirá que não.

— E então?

— Resolveremos da melhor forma.

— E qual é?

— Não perguntaremos. O máximo que pode acontecer é você ter um desarranjo. E a sujeira ficará para mim.

— Mas então eu prefiro não comer.

— Por causa do desarranjo ou da sujeira?

— Da sujeira, é claro.

— Pois então já está decidido, meu amor! Caso aconteça, por vias aéreas ou pelos "países baixos", quem fará a limpeza sou eu. Estou disposta. Mas tudo vai depender de sua apetência. É provável que não vá conseguir comer muito. Mas não se preocupe, eu estarei aqui para lhe prestar apoio. Coma uma barra dessas como quem come um grão de arroz, meu amor!

— Desde que voltei do coma não tenho conseguido comer.

— Claro, nem eu conseguiria. Comida de hospital e sopa de isopor têm o mesmo sabor.

Ana puxou uma cadeira, abriu a embalagem colorida que revestia a barra, rasgou delicadamente o papel laminado, e imediatamente o negro da iguaria encheu os meus olhos.

— Nada me fascina mais do que uma barra de chocolate — confessei como se contasse um pecado grave.

— Somos duas. E este é suíço, meu amor. Consegui com doutora Cássia, uma viciada feito nós. Exigi que fosse da melhor qualidade. Não posso comemorar a vitória de uma amiga com uma barra de chocolate nacional.

— Obrigada por me chamar de amiga. Muita gentileza de sua parte. Mal nos conhecemos e você já me concede tão preciosa distinção.

— Não preciso de muito tempo para amar as pessoas, belezura. E, além do mais, a sua carinha de menina boazinha facilita tudo. Já gostei de você, mesmo desacordada, na UTI.

— Verdade, você já cuidou de mim lá.

— Claro. Durante todo o tempo em que esteve sob aquele cobertor xadrez horroroso eu fiquei responsável pelo seu tratamento. Fiz questão de cuidar muito bem de você. E tive um motivo para tal zelo. Foi a primeira vez que encontrei alguém que tenha nascido no mesmo dia e ano que eu. Dia 16 de janeiro de 1963. Confere?

— Perfeitamente.

Ana quebra o primeiro pedaço da barra de chocolate e me entrega. Seguro-o e imediatamente o aproximo do rosto para sentir o cheiro. Ela ri.

— Somos iguais aos cachaceiros que, antes de engolir a cachaça, fazem questão de sentir o cheiro da bandida.

Uma risada ecoa pelo quarto. Rio também, pois ela me fez recordar de que, desde criança, eu tenho o hábito de cheirar o alimento antes de comê-lo.

— O sabor é casado com o odor. Bobo de quem ignora a regra. É uma pena que uma salada de rúcula não tenha o mesmo cheiro que uma picanha no alho.

— É verdade. Nem acredito que vou comer um chocolate. Até agora só comi essas papas que parecem comida de passarinho.

— Será um segredo nosso. Mas, de vez em quando, vou livrar você das papas que o Diabo inventou. Não contaremos a ninguém. E, como já lhe garanti, se por acaso prejudicar a ação dos "países baixos", estarei aqui, pronta para entrar em missão diplomática.

Ana sorri e eu retribuo, cúmplice. Coloco o pequeno pedaço na boca e o aveludado do sabor toma conta de todos os meus sentidos. Não é um sabor qualquer. Ele resguarda saudades. A delicadeza da textura me religa ao bom da vida.

Marido com o filho aos ombros, ambos implorando que eu me apressasse, porque não queriam perder o horário da sessão. Quando chegávamos ao cinema, os dois corriam até o vendedor de chocolates e voltavam com mãos e bolsos repletos. Enquanto um filme passava na tela, um outro, ainda mais envolvente, acontecia entre nós. Éramos personagens, mas também plateia. Repetíamos a mesma cena, mas nunca o mesmo roteiro. O amor não se repete, ainda que o gesto seja o mesmo. Há momentos em que oferecer um copo com água é bem mais do que simplesmente favorecer a saciedade da sede. É a delicadeza do sentimento ultrapassando braços, mãos, vidro e líquido translúcido. O ritual amoroso é banhado pela luz litúrgica que só os amantes sabem reconhecer. É religioso o amor. É dom sacerdotal que nos faz eternos.

— Posso saber aonde essa barrinha açucarada levou a Sofia?

Ainda sob o comando da lembrança, ouço a voz de Ana. Ela tem os olhos fixos na janela. Também parece absorta em boas lembranças.

— Aos lugares onde nunca mais poderei voltar. Devolveu-me aos braços distantes, aos abraços que não mais me pertencem, aos olhos que já não me enxergam, aos lábios que nunca mais me beijarão...

— A tudo o que hoje você está negada, impossibilitada de ver e tocar, mas nunca privada de sentir — Ana continuou minha frase. Repetiu exatamente a sequência de palavras que estava pronta em minha boca.

Um conforto me visita. Amparam-me mãos invisíveis como se um longo degredo fosse quebrado pela chegada de alguém. Alegro-me com a comunhão. É confortável saber que, depois de tanta solidão, me sinto unida a alguém.

— Eu estou morrendo, Ana.

Sei que minha frase é desnecessária. Falo para preencher o vazio. Ana sabe melhor do que eu a gravidade de meu estado. Ainda que o médico tenha se comprometido a não me esconder nada, deduzo que tenha omitido algum detalhe.

— Mas todos nós estamos morrendo, Sofia.

Ana me olha com ternura. A mulher corpulenta e de voz forte me fala como se fosse minha mãe. Duas mulheres com a mesma idade, mas apartadas por um fator determinante: ela está inteira, eu estou aos pedaços. Deixo-me seduzir pela sua grandeza. Não me envergonho de necessitar ser pequena. Recordo-me da escritora Adélia Prado, ao descrever o encantamento de estar diante de um leão.[2] A grandeza da criatura não lhe impôs medo, mas gratidão. Experimento o mesmo diante de Ana. A sua força me concede o favor de me sentir pequena, mas não diminuída, amedrontada.

A doença reduziu as medidas do meu corpo. Sei que estou menor. Vinte dias sem nenhum movimento e a musculatura se sente no direito de se recolher. Os músculos se desobrigam de ficar. Partem, esfarelam-se em mim. Estou minguada. Não sei ao certo o que se passa comigo, mas tenho a sensação de que retornei aos volumes físicos de quando era criança.

---

2. O nome do poema é "Neopelicano". PRADO, A. *Oráculos de maio*. Rio de Janeiro: Record, 2007. p. 139.

— A única diferença é que você está consciente da rotina de sua morte. Recebeu um diagnóstico que recorda o que boa parte das pessoas está esquecida. Todos nós estamos morrendo, meu amor. De outras formas, de outros modos, com menos intensidade, mas morrendo. A diferença é que você está com a consciência iluminada para o fato. Lido com a morte todos os dias, Sofia. Perco para ela a todo momento. Ontem mesmo perdi. Uma criança linda com apenas seis anos. Uma menina. Há nove dias chegou com uma infecção de ouvido, o quadro evoluiu para uma infecção que não pôde ser controlada. Lutou bravamente, mas o organismo se rendeu. Tive que dar a notícia aos pais. Precisei esconder a minha desolação, como se meu cargo não me permitisse a lágrima da solidariedade. Eu me sinto fracassada cada vez que isso me ocorre. Eu não me acostumo com a morte de crianças e jovens. Eu ainda me assusto cada vez que vejo a sombra se estabelecer sobre os olhos que antes vicejavam, transbordando juventude. Mas essa proximidade me fez conviver melhor com a minha morte. Sei que estou morrendo. Não como você. Sei que não tenho enfermidades graves. No entanto, sei que estou em constante processo de perda. A cada dia que passa, mais próxima eu estou do meu fim. Quando encerro meu expediente, quando tiro meu uniforme e volto para casa, sei que estou voltando mais morta do que quando saí. Mas isso não é ruim. É bom. Não há uma morbidade nessa constatação. Vida e morte se dão num mesmo movimento. Morro enquanto vivo, vivo enquanto morro.

 — Sim, Ana.

— Sofia, a consciência de que a vida me coloca mais próxima do fim me trouxe muitos benefícios. Eu fiquei mais seletiva. Escolho melhor o que quero viver, escolho melhor como quero morrer. Escolher é um exercício de liberdade. É maravilhoso poder escolher. Escolho como olho para o mesmo fato. Como disse anteriormente, ao voltar para casa, depois de um extenuante dia de trabalho, volto mais morta do que quando saí. Sim, tenho consciência de que estou mais próxima do fim. Mas também posso dizer que volto mais viva do que quando saí. O que experimentei ao longo do dia se acumulou em mim. Fui tocada, toquei, fui curada, curei. Fui amada, amei. Manter-me viva é minha escolha. Sempre.

Ana me olha. Estou atenta. Suas palavras são comuns, mas soam como novas. Tantas vezes ouvi as pessoas falarem sobre a certeza da morte, mas em Ana há uma convicção fundamentada. A palavra não flui sem antes ter passado pelo batismo da vivência. Não é um dizer por dizer, mas um dizer sentido, purificado pelos dias, impregnado de convicção.

— Continue, por favor.

— Eu não sei quanto tempo me resta, Sofia. E, por isso, não quero perder tempo com mesquinharias. A impermanência das coisas e das pessoas é uma regra que tenho inscrita na carne. O tempo está passando. Este momento que agora nos envolve nunca mais será. Poderemos ter outros, mas este, não. Ele está nos deixando. Daqui a pouco, dele teremos saudade, ou a lembrança que teremos dele nos fará sofrer. O vivido será recordado com saudade ou com remorso.

— É verdade.

— Seria muito injusto eu desperdiçar a minha vida alimentando o que me mata antes da hora. Ou, então, construindo remorsos que futuramente me torturarão. Eu quero é ressurreição, meu amor. Sei que vivo morrendo, mas quero que esse absurdo tenha sentido, compreende?

Sinalizo que sim. Embora não reconheça nenhuma novidade nas palavras de Ana, tudo me soa como absolutamente novo. A vida é assim. As circunstâncias parturiam a novidade do sempre dito, retiram o véu de tudo o que já nos era conhecido, dando-nos conhecer a outra face, aquela que até então nos permanecia oculta. Nem sempre o que já sabemos nos comunica.

Ana continua:

— Quero colocar grandeza em cada detalhe desta passagem. É uma sabedoria que aprendi com meu pai, Sofia. Ele gostava de dizer que as músicas do Cartola o ressuscitavam. Eu achava estranho. Como pode ressuscitar alguém que ainda não morreu? Ele ria e desconversava. Até que um dia ele teve paciência de me fazer compreender. Eu era menina. Recordo-me de suas palavras. "Minha filha, se você não descobrir o que a ressuscita, a vida vai matá-la antes da hora." Minha consciência iluminou-se naquele momento. Meu pai tinha razão. É preciso encontrar o contraponto, a melodia que adicionamos à vida e que torna o absurdo suportável.

— Muito sábio, o seu pai.

— Sim, meu pai sabia viver. Tinha uma alma rara. Fazia questão de ser leve. Cartola foi um dos contrapontos que ele utilizou para sobreviver à dureza da vida. Eu também gosto de ter os meus.

— Quais são?

— Gosto de cozinhar. Tenho prazer de ir à feira, ao supermercado, chegar em casa, criar uma ambiência favorável, misturar os ingredientes, experimentar o encontro inusitado dos sabores. Sempre que chego da jornada extenuante vivida nos corredores deste hospital, faço questão de buscar um grão de ressurreição na minha cozinha. Por isso estou acima do meu peso ideal.

Ana sorri enquanto desliza as mãos sobre o quadril, salientando suas vantagens.

— Mas aqui tudo é fruto de muita alegria. E você, Sofia, onde é que você cava a sua ressurreição?

A pergunta de Ana viaja em mim, devolve-me aos tempos idos, às experiências findadas, ao fosso onde o passado armazena memórias. Não consigo identificar o que poderia ter sido uma fonte de ressurreição em minha vida. Mas, antes que eu me embrenhasse numa busca que pudesse me conduzir à resposta, Ana se levanta, segura minha mão, beija minha testa e me diz:

— Não se apresse em responder. Você tem a vida inteira pela frente. A resposta chegará.

— A vida inteira, Ana? Sabe que essa vida inteira pode terminar esta noite?

— Sim. As respostas só nos chegam quando delas precisamos, querida. Não perca tempo com o que não é para ser respondido agora. Vou ali buscar seu almoço.

★★★

As respostas só nos chegam quando delas precisamos. A frase de Ana ressoa e me fere. Não estou interessada em investigar o horizonte dos meus gostos pessoais, as realidades que representam em minha vida o mesmo que Cartola representava na vida de seu pai.

O ferimento provocado pelas palavras não me move na direção da pergunta feita, mas numa outra. Sim, as palavras ferem, provocam vazios na alma, desinstalam o que antes estava acomodado. O ferimento da pergunta me encaminha ao coração da correspondência perdida, à importante notícia que o delegado havia deixado para mim, e que nem cheguei a conhecer o conteúdo. No recado telefônico ele dizia: "Tenho notícias importantes!".

Se Ana tem razão, se as respostas só nos chegam quando delas precisamos, devo concluir que eu ainda não precisava do conteúdo daquela correspondência? Não posso concordar. Tudo o que mais precisei e desejei, desde o misterioso desaparecimento de Gustavo, era saber o que havia acontecido com ele. Conviver com a dúvida é torturante. A pergunta em aberto, o inconcluso a visitar insistentemente a minha consciência, o prato que sobre a mesa permanece intocado, a vida paralisada, os fragmentos das lembranças que a angústia desperta, tudo se configura como a morte se antecipando em mim. Como posso concordar que eu ainda não preciso da resposta? Gustavo tornou-se minha pergunta diária. Há dois anos que não faço outra coisa senão perguntar o que aconteceu com meu filho. Morreu, foi sequestrado, cansou-se de mim e resolveu ir embora? Mas por que não se despediria? Teria medo de me ferir? Será que não dei a ele a liberdade de escolher? Será que ele se tornou consciente da alienação parental que eu promovi? Será que foi morto numa tentativa de assalto? Mas por que não encontraram o corpo? Se foi sequestro, por que nunca fizeram contato? Todas essas perguntas transitam em torno da primeira.

Faço a pergunta ao vazio. A dor se multiplica quando não temos a quem perguntar. Carecemos de configurações físicas, rostos que nos olhem, ouvidos que nos ouçam, lábios que formulem amparos, corações que se inquietem com o nosso. A solidão é uma condenação que somente os cativos compreendem. O visitante nunca conhecerá a dor que a prisão causa no prisioneiro que visita.

— Só não trouxe feijoada porque ainda não ficou pronta.

A voz de Ana encheu o quarto e resguardou em mim o que me inquietava.

— Mas quem neste hospital está liberado para comer feijoada?

— Eu, queridinha!

— Mas como os itens proibidos conseguem driblar as proibições da cozinha?

— Está olhando para a pessoa que consegue a proeza. Sempre dou um jeito de trazer uns ingredientes escondidos. Uma calabresa cabe perfeitamente nos compartimentos misteriosos da bolsa de uma mulher. Ninguém será capaz de suspeitar de que tenho orelhas e costelas suínas em minha elegante nécessaire. Até um substancioso rabo de porco eu já me arrisquei a trazer. Depois é só subornar a cozinheira.

Preciso de uma feijoada com a mesma regularidade com que os ursos precisam de peixe.

Ana é espontânea. Não precisa de piadas para ser engraçada. Seu jeito de falar, sempre acompanhado de gestos dramáticos, me dá a impressão de que está constantemente atuando.

— Feijoada é a comida favorita do meu ex-marido.

— E por onde anda esse infeliz que não vem comer um rabo de porco em nossa luxuosa companhia?

— Está longe, Ana, bem longe! Atualmente está morando em Boston, nos Estados Unidos. Foi enviado pela universidade em que lecionava para participar de um congresso. Como foi muito brilhante durante suas apresentações, acabou recebendo um convite da Escola de Medicina de Harvard para compor o corpo de pesquisadores.

— E quando foi que ele lhe deixou?

— Há mais de quinze anos.

— E você ainda não se acostumou com a ausência?

— Não é fácil a gente se adaptar à ausência de quem representa tudo o que amamos. Nele estava minha vida, nossa casa, nosso filho. Tudo representado num rosto. Estranho, não é? Um ser singular se multiplicar em tantos outros.

— E como é, Sofia!

— Mas você já sabia que meu marido havia me deixado. Por que perguntou se ele viria comer uma feijoada comigo?

— Sim, sabia, mas queria que você me dissesse. Quer me contar a história?

— Claro! O único compromisso que tenho é com a morte. Espero que ela demore o suficiente para que eu possa contar toda a minha vida.

— Se você não terminar, por favor, volte para contar o resto. Detesto histórias inacabadas.

— Ana, Augusto foi meu único namorado. Seis meses depois do primeiro encontro já estávamos casados, envolvidos por um projeto de vida que jurávamos durar a vida inteira. Mas não durou.

— Os amores são imperfeitos, minha amiga. E nós sabemos. Sempre sabemos. É que diante de nossa vulnerabilidade preferimos esquecer, ou fingir não saber, não sei. Idealizamos o amor como tentativa de nos proteger dos medos que sentimos. É o doído da condição humana que nos lança nos braços desse equívoco. Se não idealizássemos tanto, talvez sofreríamos menos com as perdas.

— Pois comigo foi assim. Idealizei muito. Mas ele não me dava motivos para entender diferente. Ele vivia me conferindo imunidade emocional. Protegeu-me durante anos, fez-me acreditar que seria eterno. Mas depois descobriu alguém melhor do que eu.

— Não seja injusta consigo mesma. Quem lhe garante que ele fez a melhor escolha?

— Ele não voltou, Ana. Isso confirma o que lhe digo.

— Às vezes eles não voltam por pura covardia, Sofia. É comum à condição humana ceder aos domínios da covardia. Os homens são facilmente acometidos por essa vulnerabilidade. A eles custa muito reconhecer que erraram. Nós, mulheres, não.

Viramos a esquina, descobrimos que erramos a direção, o caminho, e retornamos imediatamente. Eles insistem, vão até o fim, ainda que conscientes do erro, porque acreditam que poderão alcançar o destino final usando outras estradas. E, às vezes, não voltam por medo. Ao homem é sempre mais penoso se reconhecer no labirinto do equívoco. O medo nasce dessa dificuldade.

— Não sei, mas não acho que ele não tenha voltado por medo ou por covardia. Desde que saiu de casa pareceu-me muito confortável na escolha que fez.

— Sofia, esse julgamento não lhe pertence. Não é justo alimentar a postura que dele se desdobra. Perca, mas sem a pretensão de saber o que ele ganhou ou perdeu. Sua infelicidade não pode se alimentar da felicidade alheia. Sei que não é fácil, mas esse desprendimento é tão necessário quanto os medicamentos que lhe damos para diminuir a dor. Saber perder requer grandeza de alma. Requer colocar o orgulho sob guarda, esse inimigo oculto que nos corrói lentamente. Depois da morte nós precisamos viver os ritos do luto. O primeiro passo é sepultar o que está morto. Emocionalmente não é diferente. A perda emocional carece de sepultamento. É preciso não permitir a autocomiseração, reconhecendo o que foi realmente perdido. Sem idealizações. E sepultar, definir as exatas proporções do que perdemos. Nem menos nem mais. Não é possível manter o cadáver no centro de nossa vida. Não é simples colocar rédeas nesse animal indomável, Sofia, eu sei, mas é preciso.

— Você tem razão. Nunca aceitei ter sido trocada por outra mulher. Ainda velo diariamente esse cadáver em minha memória. Não houve sepultamento, tampouco a definição das proporções do que perdi. Sempre acho que foi muito, e que de alguma forma fui responsável pelo fracasso da relação. É um pensamento obsessivo, uma espécie de culpa.

— Sim, eu compreendo.

— Eu alimento a minha infelicidade imaginando a felicidade dele. É horrível, mesquinho. Passo horas pensando na boa vida que ele tem ao lado da nova mulher.

— Nem precisa me dizer isso, meu amor. A maioria das mulheres que conheço enfrenta a mesma dificuldade que você na lida com a separação. A culpa é uma escolha nociva, pois não nos transforma. Ela nos encaminha diariamente a um tribunal que nunca nos absolve. E, por não nos absolver, nos mantém presas aos fatos que não podemos alterar. É assim que perdemos a vida. Fazendo perguntas que nunca poderão ser respondidas, depreciando-nos, alimentando a ilusão de que o homem que se foi está infinitamente mais feliz do que quando vivia ao nosso lado, ou alimentando rancores, nunca expondo-os ao sol da gratidão, para que sejam curados.

— E eles são muitos, Ana.

— Sim, eu sei.

Ana me olha como o jardineiro ao seu jardim: esperando ver romper da terra as sementes que semeou. Tudo tão simples, tão definido, pontuado. Uma descrição de minha vida afetiva, de um jeito que eu sempre soube, mas que, por incapacidade emocional, eu não quis assumir. As causas de meus desconfortos naturalmente garimpadas por uma pessoa que acabou de chegar à minha vida. Uma verdade dura, difícil de ser metabolizada, porém envolvida em abrangentes porções de misericórdia.

— Você chegou tarde, Ana. Precisaria ter escutado isso há alguns anos. Quem sabe eu teria feito outras escolhas. Quem sabe eu teria dado um rumo diferente à minha vida. Você tem razão. Perdi meus dias lamentando a derrota. Ocupei-me ciosamente do fracasso de não ter conseguido manter as estruturas da minha casa, da minha família. Eu me sinto culpada, sim. Por não ter sido suficientemente atraente, por não ter sido capaz de oferecer a ele o necessário para que continuasse ao meu lado. Mas agora é tarde. Esse esclarecimento muito pouco me servirá.

Ana sorri. Seu sorriso contraria o pessimismo de minha fala. Nem precisa dizer que discorda de mim, mas o faz.

— A verdade nunca é o prato principal, Sofia. Passamos boa parte da nossa existência nos alimentando com os disfarces concedidos por nossos medos. Alimentos secundários, mentiras que funcionam como um doce que não nutre, mas disfarça temporariamente a fome. Esse erro não é somente seu. Muitos erram da mesma forma. E só descobrem a libertação tardiamente. Mas nunca é tarde para romper as amarras que construímos em torno de nós. Agora, chega de especulações teóricas. Seu almoço vai esfriar.

Ana me prepara para o almoço como a mãe prepara o filho para o ritual do alimento. Usa expressões carinhosas, infantis, e isso em nada a constrange. E, por soar tão natural, o mesmo acontece comigo.

Enquanto ajeita a posição da cadeira, o guardanapo protetor em torno de meu pescoço, a bandeja sobre o meu colo, usa expressões inocentes. Reveste a voz de maternidade, concede ao rosto a leveza da caridade, o amor sem interesse. E, embora eu não tenha apetite algum, disponho-me a comer.

Ana não sabe que o faz, mas a sua delicadeza me devolve à desproteção da infância, ao tempo em que minha indigência me expunha a uma radical dependência do cuidado de alguém. Um retorno no tempo. Uma enfermidade inesperada me devolve às necessidades do berço. O corpo, embora crescido, reassume o clamor silencioso da pertença, o pedido de adoção que não precisa de voz para ser ouvido. Mas não existe vergonha, constrangimento. Ela faz por mim o mesmo que a mãe faz por sua criança. Mas ela o faz me livrando de qualquer possibilidade de me sentir humilhada. Seus gestos mergulham a cena numa luz de delicadeza e simplicidade. O olhar que ama desvenda o amado, sonda sem restrições as insuficiências da carne. O cuidado alcança tudo o que em mim é órfão e devastado. A colher levada à boca, a porção que escapa, o alimento que retorna, a água que entorna pelo canto dos lábios, todas as indigências estão perdoadas. Os gestos estão misteriosamente perpassados por um encantamento que põe disfarce ao precário de minha condição. O cuidado que recebo já é amor. E, por ser essencialmente sublime, nenhuma vergonha nos ocorre.

★★★

Acordo. Logo após o almoço entrei num sono profundo que certamente foi provocado pelos remédios que minimizam as dores. Tenho sentido um desconforto nas costas. Ana me disse que é proveniente do tumor no pulmão.

A penumbra do quarto deita sombras que alcançam minha alma. Mas não há desespero em mim. Há apenas dores, arrependimentos, sensação de cansaço existencial, como se num curto espaço de tempo eu percorresse inúmeros caminhos dentro de mim. Sob sombras eu sou conduzida às fronteiras do ser que até então desconhecia.

Ana está absorta na leitura de um livro cujo título não consigo decifrar. Sob a luz delicada de uma luminária, recorda-me a cena de um filme triste que assisti na infância. A personagem perdida numa luz que lhe empresta contornos bonitos, a cena emoldurada de poesia, delicadeza que de vez em quando a vida permite, desperta em mim uma experiência de fé. Não uma fé sobrenatural, vertical, a crença de que há um Deus no comando de tudo. Mas a fé natural, horizontal, possível de ser experimentada, quando confiamos em alguém.

Ana Flores. A minha fé tem nome. Um lugar epifânico, humano, físico, quântico, sagrado. Eu não posso mensurar o quanto a sua presença já me trouxe alento.

Estou muito próxima da notícia que me desconstruiu. Há tão pouco tempo fui colocada a par de um fato irremediável, de que meus dias estão contados, e que a fragilidade de meu corpo não me permitirá retornar à minha casa, à minha vida de antes. De repente, a desconfiguração, o "desaconteci- mento", a inversão provocada pela verdade. Antes a doença estava em mim, mas sob a custódia do conhecimento. Mas tão logo o meu corpo adentrou as máquinas que nos revelam por dentro, tratando-me como se eu fosse um filme fotográfico, a realidade foi desvelada. A morte já estava me comendo aos poucos, mas eu não sabia. Construía os meus dias a partir da lógica do desconhecimento. Morria, mas sem saber. Hoje, a notícia continua descredenciando o direito de viver. A doença avança, contagia, condena o que antes era saudável. Ela me impõe uma paralisia, impedimento entre o meu corpo e minha vontade. A fragilidade que experimento impera sobre o que de mim pede para reencontrar a materialidade de meus significados.

Mas no contraponto de tudo isso eu tenho Ana, uma mulher que acabou de chegar, mas que já me fez tão bem. A sua presença não altera o meu destino. Eu continuo sob o comando de minha insuficiência, mas um sopro de fraternidade, por Ana trazido, concedeu-me consolo e gratidão.

— Posso ler um trecho para você? — A voz de Ana rasga o véu de meu silêncio.

— Claro!

Então ela deu início à leitura:

— *Quanto tempo pode durar o fracasso? Um dia, algumas horas, meses, anos, ou até mesmo a vida inteira. Depende do quanto estamos esquecidos ou recordados de nossa dimensão sublime. Quem se desprende da certeza de ser sublime fatalmente se submete à condenação que nos impõe a culpa. A mágoa é o sentimento que mantém vivas as consequências do fracasso em nós. É ela quem sela sobre o nosso rosto as feições da ingratidão. E, então, o fracasso fica tatuado na pele de nossos olhos, de maneira que a tudo passamos ver com suas deformações. Tão mais sábio seria viver sob a regra do perdão nosso de cada dia, nunca estancando os rios em que nos afogamos, mas deixando-os fluir, permitindo que nossos leitos fiquem prontos para outras águas, outros remansos. Convém abrir as comportas dos ressentimentos, não alimentar a autocomiseração, o nocivo entendimento de que fomos sucumbidos por nós mesmos, a eterna lembrança de que não alcançamos, não fidelizamos, não cruzamos o cordão de chegada em primeiro lugar. Nenhum fracasso merece o sopro do futuro. Se é para seguir com ele, que seja como aprendizado, conhecimento carbonizado na pele da memória, menino que vai à frente abrindo as porteiras, chamando-nos à ciranda da vida. É preciso conceder às mágoas as abluções que perdoam. Para que nossos olhos não fiquem com elas impregnados. É com os olhos que primeiramente pisamos o chão. Se estiverem sob a égide da mágoa, certamente não saberão reconhecer sob os nossos pés a frutuosa poeira da gratidão.*

A voz de Ana ultrapassou as fronteiras do meu corpo, atingiu o imaterial que pelo quarto está derramado. O meu desejo é nada dizer, apenas sorver o resultado do texto, mover-me no deleite que a verdade das palavras me concedeu.

— Quanta verdade, Ana. Chego a ficar constrangida. É como se um arado cortasse a minha carne e deixasse à mostra todas as entranhas do que sinto.

— O mesmo acontece comigo, Sofia. Há algumas leituras que nos desinstalam. A palavra é uma pá que lavra, abre sulcos, desenterra os conflitos e os expõe ao sol da verdade. Eu preciso desse lavramento todos os dias. É um antídoto que uso contra minha apatia.

— Mas você não me parece ser apática.

— Você não sabe as lutas que travo para não ser. Tendo facilmente à procrastinação, ao terrível hábito de deixar fluir, a não conflitar, a apaziguar.

— Mas em certo ponto é até bom.

— Sim, mas comigo fluía demais. Uma forma que sempre usei para evitar os enfrentamentos com os outros e comigo. Descobri isso quando fiz trinta anos. Resolvi que não queria continuar sendo daquela forma. Eu sempre acreditei que deveria ser eu mesma, mas me percebi sendo sempre a mesma, sem novidade, sem alçar novas versões de mim. Estava amordaçada pela mesmice. Foi então que assumi o compromisso de não permitir que essa tendência prevalecesse.

— E pelo jeito deu certo. Você me parece tão assertiva com as questões.

— Sim, tem dado certo. Toda vez que sinto a fragilidade me rondando, dou um jeito de estimular a coragem. A mulher decidida que eu me tornei não foi parida por minha mãe, Sofia. Essa nova mulher quem deu à luz fui eu. Sou a mãe da pessoa que me tornei. E não há um só dia em que eu não necessite fazer o parto acontecer. O medo se avoluma facilmente, lança suas estruturas sobre o ventre onde procuro me gerar de novo, com mais coragem, foco e determinação.

— Como você faz para fazer prevalecer a corajosa sobre a que tem medo?

— Tenho muitos recursos. Um deles é ler. Leio muito. Acredito no poder que uma palavra tem de encaminhar o que tenho de melhor à sala de parto. A leitura me permite a reflexão, o autoconhecimento, a superação diária do que é miserável em mim. O conhecimento produz as contrações que nos fazem nascer de novo, mantém ativos os ciclos de nossa evolução. Quem nos mata não é a morte, Sofia, é a ignorância. É contra ela que preciso lutar. Todo dia. Para que ela não venha impregnar minhas percepções. Quando estamos sob o domínio da ignorância, a tudo enxergamos com distorção.

— Verdade, Ana. A ignorância é mãe de muitos sofrimentos. Admirável o entendimento que você tem disso. Você faz terapia?

— Já fiz, mas parei. Ultimamente tenho tentado estimular os processos de uma rotina terapêutica.

— Interessante, fazer a vida ser um lugar de terapia.

— Sim, sei que todos nós necessitamos de processos terapêuticos. Cada um precisa descobrir a forma que lhe fará bem. Embora tenhamos os mesmos problemas, somos também muito diferentes. Há pessoas que precisam de religião, outras de terapia formal, outras só precisam de livros e amigos. Eu pertenço ao terceiro grupo. Os livros e amigos são o socorro que procuro diariamente. Você também gosta de ler?

— Muito. Mas tenho lido pouco nos últimos anos.

— Por quê?

— Fiquei presa demais ao meu sofrimento, por muito pouco saí de mim. Minha rotina girava em torno das minhas lamúrias. Ana, nada pode nos encurralar mais do que o círculo vicioso dos pensamentos obsessivos. Eles alimentam a usina dos nossos sofrimentos.

— Verdade, Sofia. E é estranho como o sofrimento nos afasta justamente das coisas que poderiam amenizá-lo. É como se a parte ferida em nós, responsável pela sua manutenção, soubesse que a proximidade com aquela situação poderia representar perigo à sua sobrevivência.

— Sim, um processo ilógico, como se estivéssemos fragmentadas em duas partes. Uma quer deixar de sofrer, mas a outra não.

— O sofrimento é astuto, egoísta. E nós o fortalecemos, ainda que queiramos dele nos livrar, porque estamos sob o comando de uma *entidade* que em nós está ferida, necessitada de sofrer, reclamar. Mas e os seus amigos, por onde andavam nessa hora?

— O fim do meu casamento me afastou da vida social. Antes, quando ainda estava casada, tinha uma proximidade com um grupo de casais. Augusto e eu tínhamos o hábito de recebê-los em casa, favorecendo um cultivo de bons relacionamentos. Nós nos reuníamos sempre. Formávamos uma ambiência afetiva qualificada. Os assuntos eram bons, cultivávamos um espírito de companheirismo e cooperação. O que era de um interessava a todos. Nós nos amparávamos mutuamente.

— E por que deixou de estar com essas pessoas?

— Primeiramente porque os amigos eram amigos do casal que deixamos de ser. Não sabia como seria estar com eles sem também estar com meu marido. Nem sei se eles aceitariam um convite só meu. Seria estranho. Segundo porque me sentia envergonhada.

— De ter se separado?

— Não. De ter sido abandonada. Nunca compreendi o rompimento como uma separação. Eu nunca me separei de

Augusto. Seria incorreto dizer que houve uma separação. Porque não houve uma conversa, um acordo ou até mesmo uma tentativa de superação. Eu fui literalmente abandonada. Da noite para o dia.

— Mas suas amigas não poderiam lhe oferecer ajuda no momento desse abandono?

— A vergonha não me permitiu solicitar. Muitas delas tentaram, mas eu não atendia ninguém. Fiquei fechada dentro de casa durante meses. Só comecei a sair quando tive de reassumir a rotina de Gustavo. Noêmia, a pessoa que trabalhava comigo, ficou sobrecarregada. Além de cuidar da casa, precisava levá-lo e trazê-lo da escola. Ela insistiu muito para que eu fizesse pelo menos isso. Reassumi por conta de sua pressão, alguns meses depois. Mas nunca mais quis ver minhas amigas.

— Nenhuma delas?

— Nenhuma.

— Estranho, Sofia. No momento da dor tudo o que queremos é ter alguém que nos ajude a passar por ela.

— Sim, mas comigo não foi assim. Eu só queria Augusto. Era com ele que eu sentia vontade de falar, chorar.

— E ele a ouvia?

— Sobre o assunto, não. Era como se não existisse um luto a ser organizado. Ele estava muito bem com a decisão. Quem estava péssima era eu. Algumas vezes eu tentei falar, mas ele se limitou a dizer que compreendia meu sofrimento, mas que eu precisaria enfrentá-lo sem contar com a sua ajuda. Que eu procurasse em outras pessoas. Eu argumentei que não tinha ninguém, que nossos amigos eram todos em comum, que eu não tinha familiares próximos.

— E ele?

— Disse que lamentava, mas que não poderia estar ao meu lado naquele momento.

— O divórcio foi rápido?

— Foi. Materialmente falando, ele fez questão de me deixar muito bem. Eu não pedi nada, não reivindiquei nada. Ele fez porque quis. Mas não me deu o que eu mais precisava naquela hora: a oportunidade de desabafar a dor que me corroía por dentro.

— Ele certamente quis evitar que seu sofrimento se convertesse em culpa sobre ele.

— Sim, ele foi covarde. Não me permitiu dizer o que estava entalado em minha garganta.

— Sofia, não retiro nem o absolvo da dimensão covarde de seu comportamento, mas ele certamente avaliou que não seria capaz de ajudá-la; afinal, amparar e cuidar do sofrimento que nós provocamos é muito desafiador.

— Mas você não acha que ele deveria me ouvir?

— Claro que sim. Mas do que tanto você sentiu falta de ter dito a ele?

— Que era errado o que ele estava fazendo. Que ele não poderia me trocar por outra.

— E por que ele não poderia?

— Porque eu dediquei minha vida inteira a ele, Ana.

— Sim, mas essa dedicação gerou obrigações?

— Claro. Assim como a ele eu me dediquei, ele também deveria se dedicar a mim. O nosso trato foi que seria para a vida toda.

— Meu amor, mas não é assim que funciona. Ninguém nos dá garantia de nada. O fato de você dedicar-se integralmente a uma pessoa não lhe dá garantias de que ela se dedicará da mesma forma a você.

— Mas isso é um erro.

— Sim, mas erros são cometidos a todo momento.

— Mas comigo não era justo.

— Por quê?

— Porque não.

— Sofia, o que a torna tão especial a ponto de não merecer que pessoas errem com você?

— Você está contra mim?

— Eu, não. Nem tenho motivos para estar contra você. Pelo contrário, escolhi estar aqui porque pretendo ajudá-la a passar por este momento. Só quero entender o motivo de você se achar melhor que os outros, já que todos nós estamos sob a possibilidade de sermos trocados, traídos, abandonados e esquecidos.

— Mas eu não merecia o que ele me fez.

— Sim, mas a maioria esmagadora das pessoas que sofre, sofre sem merecer.

— Por que você está me dizendo isso? Pensei que você me ofereceria apoio...

— Claro, estou aqui para apoiá-la no que precisar.

— Mas está dando razão ao meu marido.

— Não, eu não estou dando razão ao seu marido. Aliás, acho um absurdo o que ele fez com você. Só estou dizendo que coisas ruins também acontecem às pessoas boas, e que não é justo você alimentar essa compreensão ingênua, infantil, de que o fato de você não merecer ser abandonada a livre do abandono. Oh, meu amor, você não é diferente das outras pessoas. É vulnerável como todo mundo é. Se cortar a pele, sangra.

— Mas eu me sinto injustiçada pela vida, Ana.

— E esse sentimento não a ajuda em nada, querida.

— Mas eu não sei sentir diferente.

— Sabe, claro que sabe, só que ainda não tentou. Enquanto não se livrar da pretensão de que você não merecia passar por isso, que tudo o que você dedicou a ele foi em vão, enquanto você continuar repetindo que a vida tem uma dívida com você, certamente continuará torturada pelo abandono de Augusto. Saia desse vitimismo, abra mão dessa compreensão equivocada de que você não merecia sofrer. Não é uma questão de merecimento, Sofia. É uma questão humana. Nós sofremos quando somos traídos, preteridos, abandonados. Mas é uma questão de todos nós. Não há ninguém que esteja imune a isso.

Estou irritada. Nunca imaginei que alguém pudesse desconsiderar as minhas razões. As poucas pessoas que ouviram de mim como tudo aconteceu, Noêmia, o delegado, o advogado que me acompanhou, todos concordaram que eu não merecia ter passado pelo que passei. Sinto vontade de expulsar Ana do quarto, mas, antes mesmo que meu desejo se tornasse ordem, ela voltou a falar:

— Sofia, a vitimização é o caminho mais fácil diante do sofrimento. A autocompaixão é um grande obstáculo para a superação de conflitos emocionais. Sabe por quê?

— Por quê?

— Porque ela faz a manutenção da tristeza. Ela se encarrega de renovar diariamente a desolação que nos aparta da superação. E, então, passa horas e horas arrancando a casca de ferida emocional, lamentando eternamente, dizendo a si mesma "Coitadinha de mim, olha como eu sofro. Como eu sou injustiçada, meu Deus, eu não mereço nada disso do que está acontecendo comigo!".

Ana pronuncia as frases fazendo caras e bocas. À voz empresta um tom manhoso que me faz rir.

— Ana, Ana, é triste admitir, mas você tem razão. Minha mãe era assim.

— Só ela?

— Não, eu também tenho sido.

— Eu também já fui muito, Sofia.

— Por que agimos dessa forma?

— Porque é um caminho fácil diante da dor. Talvez o mais curto, o mais sedutor, por não nos exigir um movimento de criatividade e superação. E há outra questão: sob a condição de vítimas recrutamos facilmente o olhar dos outros. Quando a carência afetiva está gritando dentro de nós, fazemos qualquer coisa para que os outros nos observem. Ainda que inconscientemente, instrumentalizamos a ferida emocional que temos para recrutar dos outros um pouco de atenção.

— Verdade.

— Seu marido deve ter percebido que você faria o caminho da vitimização. Que usaria de seu sofrimento para tentar demovê-lo da decisão. Ele escolheu não voltar. Até poderia escolher ouvi-la, mas não escolheu. Foi covarde? Sim, ele quis a covardia, optou por ela. Tudo porque pressentia que você usaria dos momentos com ele para impor a amargura que a dominava.

— Sim, mas eu estava errada em querer que ele percebesse o que estava fazendo comigo?

— Não, claro que não. Você estava no seu direito. Somos todos livres para fazer o que quisermos. Mas ele também tinha o direito de se acovardar, fugir, não querer ver o mal que estava causando. Até para fazerem o pior as pessoas são livres, Sofia.

— E ele foi, Ana. Não cedeu, não me ouviu, não me permitiu dizer o que precisava ser dito.

— Diga-me a verdade, ele nunca ouviu você? Não é possível que ele não tenha lhe dado ao menos uma chance de falar sobre a sua desolação.

— Não como eu precisava.

— E como é que você precisava?

— Eu precisava falar todo dia, toda hora.

— Mas, Sofia, em algum momento ele ouviu você, ou realmente se recusou, nunca lhe permitindo encontrá-lo?

— Ana, eu não fui verdadeira quando disse que ele nunca quis me ouvir.

— Então ele ouviu você.

— Sim.

— Quantas vezes?

— Algumas. Nos primeiros meses, quando ia regularmente para me ajudar com Gustavo, ele me escutou. Mas não foi o suficiente.

— Eu suspeitava que você não estava sendo totalmente honesta comigo. E não há nenhum problema nisso. Nem sempre estamos prontas para a verdade. Às vezes levamos anos para tocar em algumas questões espinhosas. Não sei, posso estar errada, mas tenho a sensação de que foi importante para você transformar Augusto num monstro, num homem insensível. E ficar com essa imagem, pois ela ajudaria você, quem sabe, a odiá-lo. Talvez ele a tenha ouvido até o momento em que entendeu que não poderia mais ajudar. Certamente percebeu que você só queria afetá-lo com o seu desalento.

— Foi o que ele me disse.

— E ele tinha razão, Sofia. Ele não queria mais o casamento. Podemos achar absurda a escolha que Augusto fez, mas ele era livre para fazer exatamente como fez. E ele não mudaria de ideia só porque a decisão dele fazia você sofrer. Ele foi prático. Soube ser. Você não conseguiu, minha amiga. Sejamos honestas. Ao querer tanto que ele a ouvisse, uma única questão lhe ocorria, ainda que inconscientemente: fazê-lo mudar de ideia, fazê-lo ficar.

— Era só o que eu queria.

— O sofrimento estava sendo insuportável para você. Sua inteligência emocional estava sem fluxo. A dor expulsa a lucidez. Foi o que aconteceu. Sem condições de iniciar um processo de superação da perda, você resolveu se humilhar e acreditar que com a separação você desviveria. O caminho escolhido foi impor culpas, fazê-lo sentir-se mal pelo caos que havia provocado em sua história pessoal. Sofia, sem medo de errar, o que você mais queria naquela hora era que Augusto sofresse o dobro que você.

— Não, Ana, eu não sou tão cruel assim.

— Sofia, não se engane. O sofrimento nos cria muitas ciladas. Ficamos cruéis quando estamos sob suas ordens. Impor um sofrimento a quem nos faz sofrer é um caminho fácil de ser tomado. E é tentador. Ainda que não queiramos reconhecer, somos capazes de coisas absurdas para devolver, ainda que uma pequena parcela, a dor que nos fizeram sentir.

— Não sei, Ana. Foi tudo tão intenso em mim. Pode ser que motivos velados estivessem movendo o meu desejo. Como você disse, motivos inconscientes sempre estão sob nossas ações e reações.

— Sofia, há pessoas que não querem a cura. E sabe por quê?

— Por quê?

— Porque descobriram na doença uma forma de angariar afeto das pessoas que as rodeiam. Vejo muito disso por aqui. Doenças funcionando como esconderijo, movendo carências, despertando a crueldade de provocar sofrimentos nos outros. Tudo porque a pessoa se sente prejudicada, abandonada, rejeitada. Adoecer é uma forma de ter dos outros a piedade. Mas como dizia o poeta, "piedade não é amor".[3]

---

3. Trecho da música "Seu nome", de Vander Lee.

— Que lindo isso. Quem disse?

— Vander Lee, um cantor e compositor mineiro que cometeu a deselegância de morrer jovem. Morreu aos cinquenta anos. Já pensou no prejuízo que impõe ao mundo a morte de um bom poeta? Já imaginou quantos sentimentos ficam órfãos, sem nome, sem expressão e sem voz?

— E como, Ana! Sem eles nós sofreríamos sem saber o que dizer, o que gritar, e com um agravante: sem trilha sonora.

— "Piedade não é amor." É verdade, mas às vezes a piedade é o que nos resta. E, mesmo sabendo que é mísera, mesmo assim queremos.

— Sim, quando o sofrimento ceifa o amor-próprio, qualquer resto nos alimenta. Conheci uma moça que me ensinou muito sobre isso. Aprendi ao observar seu mecanismo de defesa contra a solidão. Uma mulher bonita, mas descuidada. Toda semana estava aqui. Sempre com um motivo diferente. Às vezes, chegava fisicamente debilitada. Motivos diversos. Desidratação, crises de ansiedade, exaustão, magreza acentuada, dores, intoxicação por medicamentos, enfim, sempre por aqui. Aos poucos fui arrancando-a de seu silêncio. Descobri que tinha um relacionamento conturbado com o pai. Amor e ódio. Filha única, sempre foi muito paparicada por ele. A mãe morreu quando ela ainda era adolescente, mas a perda não foi um problema para ela. Depois eu soube que a obsessão pelo pai estabeleceu uma relação dificultosa entre ela e a mãe. Alguns anos depois, quando já estava na juventude, o pai iniciou um relacionamento. Apesar de suas investidas para impedir que desse certo, o pai casou-se novamente. Ela nunca aceitou. E, desde então, começou a adoecer. E dava certo. Ela conseguia ter o pai por perto o tempo todo. Consequentemente, afastava-o da esposa.

— E ela era consciente disso?

— Muito. Sabia exatamente o que queria. Vivia obsessivamente o objetivo de prejudicar o pai. Interpretava que, por ela estar infeliz, o pai também deveria estar. E desfrutava de enorme satisfação em ver o pai assim. Agia de forma cruel. Quando percebeu que o pai afligia-se com suas constantes enfermidades, forjava situações para despertar desconforto nele. Duas satisfações ela tinha: tê-lo por perto e vê-lo sofrendo.

— Que horror, Ana. É até difícil acreditar que alguém possa agir assim.

— Sofia, Sofia, somos capazes de coisas piores. Sob a nossa pele moram criaturas primitivas, aéticas e inumanas. Somos até capazes de mantê-las sob controle, mas basta um descuido, um descompromisso com a ronda, e elas assumem o timão do barco.

— É verdade. Descuidos diários vão se acumulando e, aos poucos, vamos acordando o que em nós é primitivo, desgovernado, dando aos outros a nossa pior versão.

— Não somente aos outros, mas a nós mesmos. Quem mais sofre com a nossa pior versão é a casa que a hospeda, o corpo.

— Sim, fica insuportável ficar em nós mesmos.

— Os descuidos que permitem o surgimento da pior versão são cumulativos. É como a queda de um avião, sempre resultado de uma somatória de erros. Quase nunca um avião cai por um motivo só. É a junção de pequenos detalhes que o derruba. Eu escolhi ficar atenta à qualidade da construção dessa trama. As peças que diariamente escolho para compor o mosaico da minha vida. Depois dos trinta, como lhe disse, fiquei muito atenta ao que alimento em mim. Antes era relapsa. Não cuidava do que pensava, do que dizia nem do que sentia. Era uma aeronave sem administração responsável.

— E houve algum acontecimento que fez você perceber isso?

— Sim. Descobri um câncer de mama.

— Meu Deus!

— Sim, um momento muito difícil. Mas hoje eu vejo o quanto ele foi um bom amigo. Ele me fez descobrir a hora da essência.

— Como assim, Ana?

— Sofia, viver consciente não é algo natural à condição humana. A nossa lida com a vida costuma ser muito superficial. Estamos sempre apressados, desatentos, excessivamente estimulados pelo que vive fora de nós, pelo que nos dispersa em contextos que não importam. A tudo experimentamos em frações. Nunca estamos inteiros onde estamos. Nós nos damos em porcentagens. Estou aqui com você, mas posso falar ao mesmo tempo com inúmeras outras pessoas por meio do celular. Nós nos limitamos a tocar a superfície dos fatos, a roçar a pele das pessoas. Temos o gosto pelas aglomerações. Sobrevivemos bem aos grandes aglomerados de pessoas, mas somos péssimos em viver encontros. Dificilmente chegamos ao fundo. E há muitos fatores que dificultam a profundidade.

O excesso de juventude, o excesso de atividades, os estímulos que demasiadamente nos jogam para fora de nós, condenando-nos a uma rotina estéril, incapacitando-nos de saber reconhecer quem somos, o que verdadeiramente queremos e precisamos.

— É assim mesmo, Ana. Você fez uma descrição muito fiel das características da vida social.

— Repare, Sofia, a maioria das pessoas que conhecemos é alheia a si mesma. Pouco se investiga. Busca nas coisas o que deveria encontrar nas pessoas. Busca em outras pessoas o que deveria encontrar em si. Exige que os outros lhe ofereçam o que deveria oferecer para si. Sofia, o câncer me colocou no deserto. E, na aridez desértica, só conseguimos pensar no que precisamos. Não é possível atravessá-lo com os fardos que costumeiramente carregamos, tampouco esperando que os outros venham fazer a travessia por nós. Na aridez do deserto os supérfluos perdem o encanto. É como se os nossos olhos ficassem estreitos e neles não coubesse muita coisa. E, então, precisamos aprender a difícil arte de escolher. E só levar o essencial. Esta é a hora da essência, Sofia.

— Pois então a hora da essência está batendo à minha porta, Ana.

— Então é melhor abrir, Sofia. É magistral o que ela nos traz. Ela chega para trazer quietude, ainda que tudo continue em movimento. Chega para trazer entendimento, mesmo quando tudo continua confuso. Chega para trazer sabedoria, mesmo quando tudo continua obtuso. Quando estamos na essência, a intuição fica aguçada, os sensoriais são acordados, a mente expande-se, abre-se ao entendimento da realidade que a cerca.

— Queria ter aprendido esse conceito antes, Ana. O aprendizado está chegando tarde para mim.

— Claro que não, Sofia. O importante é descobrir, ainda que seja para morrer nela, na essência, no eixo da verdade, na percepção de tudo o que lhe diz respeito.

— É lamentável, mas para muitos ela só acontece quando estão próximos do fim.

— Sim. É muito raro passar um dia sem que eu veja alguém morrer. E muitos morrem fora da verdade, cercados por desentendimentos, equívocos. Sofia, dificilmente somos gratos quando não estamos na essência. Só ela nos faz perceber o ganho que há na derrota, o aprendizado que nos deixa a dor, o fruto que podemos colher toda vez que a vida nos põe ao relento.

— Temos nossos olhos sempre fixos no lado que está à mostra, Ana. Não temos o hábito de buscar o lado que se oculta. Dá trabalho, requer disposição interior sondar os avessos, a face não convencional, o que exige mais de nossa sensibilidade, raciocínio. Lamento reconhecer isso, mas nos últimos anos eu vivi exatamente assim, indisposta, fechada à percepção dos meus avessos. Precisei saber que estou morrendo, ser confrontada por você, para voltar à curiosidade de me ver sob outro enfoque. O que agora há pouco você me fez perceber, o vitimismo que assumi, de como usei do meu sofrimento para tentar chamar a atenção de Augusto, meu Deus, como eu não percebi isso antes? Teria sido tão diferente se a mudança de conduta tivesse acontecido antes.

— Ou não. E nem faz sentido lamentar o que não tivemos, Sofia. O importante é que ela está aqui entre nós, tão real que pode ser colocada no colo. Olho para você e vejo uma mulher diante do desafio de recolher os cacos do que está quebrado em si mesma. Como se hoje lhe fosse dado o direito de montar o mosaico da vida que viveu. Cada pedra, cada detalhe, tudo fluindo para a composição. Uma restituição que não faria um mês atrás, porque estava movida pelo sentimento obsessivo de reencontrar seu filho, a parte que lhe restou da família que você tanto lamenta ter perdido, ou há dez anos, quando estava deprimida com a separação. Nas duas fases da vida você orbitou em torno de uma obsessão. A primeira: fazer voltar o marido. A segunda: reencontrar o filho. As obsessões a cegaram para o ser humano que realmente precisava ser encontrado: você.

— Isso faz tanto sentido, Ana!

— Desde que seu marido foi embora, você passou a priorizar o filho. Em detrimento de si fez por ele muito mais do que ele precisava. Tudo porque queria preencher um vazio que lhe pertencia. O vazio é sempre particular, meu amor. E nunca está no outro o que pode preenchê-lo. Os outros nos complementam, Sofia. Só complementam. Deveríamos ter o suficiente, caso o complemento venha a faltar.

— Não é uma responsabilidade que diz respeito ao outro.

— Não, não mesmo. Costumo sempre dizer: eu sou a primeira responsável por mim. Preciso buscar diariamente o sentido da minha vida, o elã vital, o visgo que me prende à realidade, o motivo que me faz querer que o dia amanheça.

— Sim.

— Sofia, eu desconfio que você tenha cometido um grande erro com Gustavo.

— Qual?

— O de transformá-lo em seu garimpo.

— Como assim?

— Quis extrair dele o que deveria ter extraído de você. E isso certamente pesou sobre ele.

— Sim, coloquei muitos fardos sobre ele, Ana.

— Todos os dias vivemos o exílio que a existência nos impõe, Sofia. E é preciso reencontrar o caminho da terra prometida. A vida nos arranca do eixo, as nossas ambiências emocionais desrespeitam nossos planos e nossos sonhos, condenam-nos ao estreito dos caminhos, à visão reduzida, ao esquecimento de que somos o primeiro lugar a merecer receber cuidados. E, somente depois, dar-nos aos outros.

— Eu sempre compreendi o amor como doação. Fui educada para ser para os outros.

— Eu também.

— E você sofreu com isso?

— Claro. Ninguém fica impune após passar anos acreditando poder dar o que já não tem. O amor esgota, Sofia. Ele não é um recurso estocável. A única maneira de mantê-lo vivo é alimentando sua nascente. É em nós que ele brota. Ao amor-próprio cabe a função de proporcionar a sombra de que a nascente necessita para manter-se viva. Eu desprotegi a minha. Devastei o arvoredo que fazia a proteção. Assolei e permiti ser assolada. O pior de tudo é isto: saber que você permitiu que os outros pisassem onde não deveriam ter pisado. Profanaram o meu lugar sagrado. Talvez eu tenha adoecido por isso. Doei sem repor, permiti uma escravidão emocional que esgotou todas as minhas reservas. Um relacionamento de dez anos.

— E foi você quem terminou?

— Não. A vida o fez por mim. Ou melhor, a morte. Meu marido morreu de um ataque cardíaco fulminante. Nos meus braços.

— Deve ter sido uma experiência pavorosa.

— Foi. E continua sendo. Ainda administro as consequências deixadas. Não pela morte, mas pelo tempo que passei ao lado dele. Vê-lo morrer foi estranho. Percebi dois sentimentos distintos. Um que me levava ao pior desespero, e outro que me provocava um alívio profundo.

— Ambíguo.

— Sim. Foi ali que eu experimentei na pele a tal *síndrome de Estocolmo*.[4] No meu casamento eu vivi o *sequestro da subjetividade*,[5] uma modalidade de violência mais comum do que imaginamos. No sequestro da subjetividade, o protocolo das ações é muito semelhante ao do sequestro do corpo. O tratamento que fragiliza, impõe medo e restrições é intencional. É assim que o sequestrador incute na mente do sequestrado a certeza de que este depende dele. E, então, a pessoa passa a,

---

4. A síndrome de Estocolmo é um estado psicológico muito comum em relações abusivas, quando uma pessoa, submetida a um período prolongado de intimidação, violência, espoliação da vontade, passa a ter simpatia, amor ou amizade pela pessoa que a violenta.
5. Sobre esse tema sugiro minha obra: DE MELO, PE. F. *Quem me roubou de mim?* São Paulo: Planeta, 2013.

erroneamente, acreditar que há uma bondade sendo exercida. É mísero o que lhe é oferecido, mas ela se apega e valoriza o pouco que recebe. O domínio se estabelece assim, fazendo parecer cuidado o que é opressão, escolha o que é imposição. Meu marido fez isso comigo, Sofia. Fez-me acreditar, durante longos dez anos, que eu não merecia nada além do que ele me concedia. E era tão pouco, tão mesquinho.

— Lamento por você, Ana. Neste curto espaço de proximidade eu a considero tão merecedora de sentimentos bons.

— Obrigada, querida. Mas não lamente por mim. Há muito eu não o tenho feito. Sem vitimismo. Fui maltratada porque aceitei as regras do jogo que ele fez. A gente nunca cede de uma única vez. É processual. Não fui completamente enganada. Aos poucos fui perdendo a minha capacidade de decisão e depois consegui reconhecer que ele não errou sozinho. Uma concessão hoje, outra amanhã, e gradativamente vamos definhando nossa capacidade de decisão. Conhece o poema "No caminho, com Maiakóvski"?[6]

— Conheço, mas repita-o. Você sabe?

— Como poderia me esquecer da descrição do meu conflito?

Ana respira profundamente, fecha os olhos. Parece que está recrutando muito mais do que uma arquitetura de palavras. É em si que ela mergulha, pois foi no seio de sua alma que os escritos de Eduardo Alves da Costa lançaram as raízes dos significados:

---

[6]. Poema que dá nome ao livro do poeta Eduardo Alves da Costa: COSTA, E. A. *No caminho, com Maiakóvski*. São Paulo: Geração Editorial, 2003.

*Na primeira noite eles se aproximam
e roubam uma flor de nosso jardim.
E não dizemos nada.
Na segunda noite, já não se escondem:
pisam as flores,
matam nosso cão,
e não dizemos nada. Até que um dia,
o mais frágil deles
entra sozinho em nossa casa,
rouba-nos a luz, e,
conhecendo nosso medo,
arranca-nos a voz da garganta.
E já não podemos dizer nada.*

O silêncio impera. Ana e eu estamos impregnadas pelo lirismo doído do poema. Meus olhos estão fechados. De Ana só tenho a respiração. Estou certa de que ela chora o choro manso dos reconciliados. Não há mágoas, não há ressentimentos. O que há é a lágrima fazendo as abluções que perdoam, prestando homenagem ao que foi vivido, como se a plateia se levantasse para aplaudir o ator em seu desconcertante esquecimento do texto. A fragilidade assumida, parte de uma urdidura existencial, irrenunciável e intransferível. De vez em quando a vida nos surpreende em absoluto desgoverno. Tudo fora, alheio, exilado. Mas há outros momentos em que nos surpreende em absoluta concordância. Tudo dentro, consciente e reconciliado. A hora da essência talvez seja isso. O turno da vida em que a liturgia das horas nos põe num caminho só: o que nos faz chegar a nós mesmos.

O silêncio se estende. Já não tenho a percepção do tempo. Durmo. Um sono profundo e prolongado.

★★★

Acordo. A luz do dia já está no quarto. Não vi Ana sair, ir embora. Duas enfermeiras me sorriem e dizem que me ajudarão no banho. Acolho a generosidade como quem precisa aprender. Não é fácil perceber-me incapacitada de viver o trivial, não estar mais no controle do meu corpo. Sou colocada debaixo do chuveiro. A temperatura da água é morna e me faz bem. Um banho desperta realidades espirituais. Enquanto o corpo vive o rito de ser limpo, um remanso imaterial passa a me percorrer por dentro.

Recordo-me de Ana. É a hora da essência. E ela me invade. Quero que caiam de mim todos os excessos. Preciso fazer a travessia. Quero e preciso estar leve, caso contrário sucumbirei. O calor do deserto não perdoa os que viajam pesados. Tenho aprendido. Vivo a tentação de desprezar-me por ter feito recair sobre Gustavo o peso restado de minha condição de vítima. Mas intercepto o sentimento. Comiseração é um sentimento desnecessário para o momento em que vivo. Em nada acrescentaria. Tendo a querer o drama para que eu volte a ter pena de mim. Até então eu estava pronta para lamentar a certeza da morte. Mas, de repente, fui tomada por uma nova coragem. E esta não permite dissimulação. Nada de sentir pena de mim. Não sou digna de pena. Milhões de pessoas morrem de câncer todos os dias. Por que o mesmo não pode acontecer comigo? O que tenho de diferente dos outros para não estar sob a mira da mesma fatalidade? As perguntas não param. Como se brotassem dos poros, como se uma comporta tivesse sido aberta, dando vazão a uma represa de questionamentos essenciais. Perguntas que me devolvem ao centro de minha verdade, lugar de onde nunca deveria ter saído.

Deste ponto em que me olho, vejo o quanto de mim ficou exilado, monturo emocional que não recebeu a bênção do entendimento. Acontece. Ficamos viciados no pouco que já encontramos de nós. Eu já estava perfeitamente adaptada à Sofia que o abandono gestou. Gostei da metáfora de Ana: *ser mãe de si mesma*. Gerar-se diariamente, colocar no ventre o ser que precisa receber novo sopro. Estimular as contrações, o parto. Leituras, oração, artes, música, boa conversa, tudo que o bom gosto nos põe à disposição. Pena não ter descoberto essa possibilidade antes de adoecer. Teria certamente me beneficiado um pouco mais, retirado a vida da superficialidade, do caminho de todo dia, da rotina que me exilava nos mesmos lugares. Talvez eu tivesse percebido a crueldade com que tratei Gustavo. Não faz sentido exigir que alguém sofra só porque você sofre. É cruel. Não é justo impor aos outros o que não suportamos em nós.

Por outro lado, preciso reconhecer, tudo me parecia tão coerente. É o sofrimento da nossa casa, da nossa família. Mãe e filho machucados pela rejeição de um homem. Nosso assunto era sempre o mesmo. Falávamos do quanto ele foi frio em nos deixar. Falar ajudava-nos a justificar o ódio que sentíamos. Era uma forma que tínhamos de fazer a atualização das mágoas. Sendo assim, nunca nos despedíamos dos rancores antigos. Precisávamos deles. Ou eu precisava, não sei. Gustavo sempre repetiu o que eu coloquei em sua boca. Nunca falou algo novo sobre o pai. As suas falas foram escritas por mim. Eu roteirizei a sua relação imaginária com o pai. Tudo o que ele disse foi antes ditado por mim. Eu me desdobrava nele. Meu ódio foi tanto que pedia outro corpo para se expandir. Não cabia em mim. Tinha nisso uma satisfação. Eu me alegrava em vê-lo solidário a mim, odiando o pai tanto quanto eu. É insuportável sofrer sozinho. Necessitamos que outro chore ou lamente pelos mesmos motivos que nós. Não toleramos saber que somos os únicos que sofrem. Queremos solidariedade. Deu errado para mim? Quero que dê errado para os outros também. Ver a desolação do menino me acompanhava, arrancava-me do limbo da solidão. Um sentir que não estava esclarecido, é claro.

Hoje está. Mas de que serve saber? Volto a mim. O banho foi terminado e já fui recolocada na cama.

— A senhora vai querer o café da manhã agora?

A voz estridente me assusta. É uma senhora. Certamente trabalha na copa.

— Não estou com fome.

— Mas a senhora precisa comer. O doutor Rogério disse que eu estou proibida de voltar com as refeições para o refeitório.

Se preciso comer, se sabe que não tenho outra opção, por que essa infeliz perguntou se eu quero? Reflito, olhando para ela, enquanto lhe ofereço um sorriso.

— Já que não tenho escolha, prefiro agora. Assim já escovo os dentes e vou para a cadeira.

— Mas a senhora só vai para a cadeira na hora em que a doutora Ana chegar.

— Sem problema, eu espero por ela.

A mulher ajeita a bandeja e sobre ela coloca o que me é permitido chamar de café da manhã. Comer o que é ruim, estando sem apetite, é ainda pior. Recordo-me do que dizia minha mãe: "O melhor tempero é a fome". Ela tinha razão. Se ao menos fome eu tivesse. Mal termino meu pensamento e Ana já entra pela porta do quarto.

— Pelo amor de Deus, Maria Eugênia, leva embora imediatamente esse café da manhã horroroso, porque eu trouxe umas coisinhas maravilhosas para minha amiga.

— Mas, doutora Ana, ela não pode comer fora da prescrição. Doutor Rogério não vai ficar nem um pouco satisfeito se souber.

— E quem disse que ele vai saber, meu amor? Tudo o que acontecerá neste quarto você jurará que não viu acontecer. Nem sob tortura. Você vai dizer que ela comeu toda essa porcariada que você trouxe e que ela ainda pediu para repetir.

— Ah, gente, ah, gente...

A senhorinha recolhe o que havia arrumado. Está bastante contrariada. Não porque eu não comi, mas certamente por ter feito o seu trabalho em vão.

— Maria Eugênia, meu amor, sorriso no rosto. Você fica horrorosa com essa cara de papel higiênico.

Não consigo segurar o riso. Mas não fico constrangida. Maria Eugênia ri também. Percebo que há entre elas um vínculo de carinho e amizade.

— Só fico calada se ganhar um pedaço desse bolo de iogurte.

— Chantagista.

— Se não me der, eu saio daqui e vou direto ao doutor Rogério dizer que a senhora está matando a paciente dele.

Rio por dentro e por fora. A situação me desperta uma alegria genuína, simples, que só o senso de humor é capaz de despertar. É uma dádiva conviver com pessoas engraçadas. Não me refiro às que vivem contando piada, mas aos que extraem humor do cotidiano.

— Que alívio. Achei que vocês não se conheciam. Já estava certa de que Maria Eugênia sairia daqui pronta para nos denunciar.

— Conheço essa chantagista há mais de dez anos, Sofia. Apesar de ter tido esse rompante moralista, purista, pronta para nos denunciar ao doutor Rogério, ela é a responsável pelo tráfico de rabo de porco aqui no hospital.

— Como assim?

— É que essa infeliz, dona Solange...

— Que Solange, criatura? É Sofia o nome dela. Sofia...

— É que essa miserável, dona Sofia, vive me pedindo pra eu trazer rabo de porco pra enfiar escondido no feijão dela.

Só que é proibido. No dia em que eu for descoberta, corro o risco de ser jogada do quinto andar.

— E eu vou comemorar, Sofia. Não aguento mais esse encosto em minha vida.

— Encosto é a...

— Olha lá o que vai dizer, hein... Sofia não está acostumada com seu vocabulário baixo. Me ajuda aqui, marmota.

Ana está retirando o que trouxe das embalagens. Maria Eugênia passa a ajudar. As duas riem entre elas de coisas que não sei. Falam baixo e eu não posso ouvir. O que sei é que a encenação de animosidade de antes não corresponde ao carinho que demonstram ter uma pela outra.

— Pronto. Vou lhe servir uma xícara de café com leite com um pedaço deste bolo de iogurte, que é o melhor da cidade.

— Obrigada, Ana. Aproveite e sirva também à sua amiga, a traficante.

— Eu não sou empregada dela, meu amor. Se ela quiser, que se sirva.

Ana faz todo o discurso de negação já servindo um pedaço à amiga. O bolo é bom. Um sabor de queijo prevalece no final. Uma textura leve que me recorda um pão de ló. Maria Eugênia come sua fatia acompanhada de uma xícara com café. Ana faz o mesmo. Tão logo eu termino a fatia, Ana já me oferece um pão de queijo. Está morno. Como com disposição, esquecida de que estou doente. Pão de queijo me recorda férias em Minas Gerais, na fazenda do meu avô. Um gosto que me recorda a infância. Para finalizar, Ana me oferece rosquinhas de nata. Maria Eugênia não perde a oportunidade de fazer seu comentário:

— É, para quem não estava com fome...

— Ela não estava com fome para suas porcarias, fofa. Agora circulando, circulando, porque este hospital está cheio de doentes, todos mortos de fome, esperando esse café da manhã triste que o Diabo inventou, e que você tem coragem de servir a eles.

— Vou mesmo. Não vejo a hora de terminar para esticar minhas pernas. Eu estou podre de cansada!

Enquanto Ana organiza o que sujamos, duas enfermeiras chegam para me acomodar na cadeira. Desta vez consigo contribuir mais, mas mesmo assim ainda me sinto muito fraca para os movimentos. As dores existem. É certo que a medicação ameniza noventa por cento delas, mas sempre resta a fração que nos recorda de que a morte continua o seu processo de me fazer ruir.

— Você dormiu bem?

— Dormi, Ana. Muito obrigada. Os remédios me apagaram.

— Sim, decidimos aumentar a dosagem da noite. Alivia dores e aprofunda o sono. É uma associação de remédios para dormir e para dor. Acabam gerando um efeito apagão. Prefere que continue assim ou quer mais lucidez à noite?

— Não, pelo amor de Deus, mantenham assim. Não quero enfrentar insônias, ainda mais neste estado.

— Claro!

— Seria pavoroso não conseguir dormir e ter de conviver com os pensamentos que me ocorrem.

— Consegue me dizer como se sente emocionalmente?

— Estranha, estranha em mim, Ana. É assim que me sinto.

— Consegue falar mais sobre isso?

— Tenho um corpo, mas não conto mais com ele. A mente, que está em perfeito estado, tem dificuldades de lidar com a fragilidade física.

— Sim, uma ambiguidade.

— Sei que nada posso fazer sozinha. Preciso do auxílio de alguém para satisfazer minhas necessidades mais simples.

— Sim, Sofia, e não pode ter vergonha disso. O hospital é um lugar de indigências, meu amor.

— Eu sei. Nem é o caso de ficar envergonhada, pois você conseguiu me livrar disso. É só uma sensação de perda. Não tenho mais o corpo que tinha. Mas também não será fácil oferecer ao outro meus excrementos. Eu certamente ficarei envergonhada quando acontecer.

— Não ficará. Todos os profissionais que circulam por aqui estão cansados de ver vômito, fezes, sangue, urina e secreções. Tudo o que é humano aqui não causa repulsa em ninguém.

— Eu sei, Ana, mas é difícil de lidar. É muito constrangedor ter de chamar alguém para fazer por mim o que eu gostaria de fazer.

— Eu sei, a doença escarnece de nós. Joga por terra a autonomia que a gente alcançou. Voltamos a necessitar dos mesmos cuidados de quando éramos crianças.

— Sim, às vezes eu me sinto uma menina nesta cama.

— Eu sei o quanto é difícil retornar ao tempo em que não se desfruta de autonomia. É um aprendizado que precisamos viver. Sofia, eu não sou capaz de precisar no tempo o momento em que fui capaz de cuidar de mim. O que sei é que minha indigência prevaleceu durante anos. Não sei dizer quando foi a primeira vez que fui capaz de buscar a água da minha sede, o cobertor para o meu frio, o alimento para a minha fome. Vivi sob a sombra de cuidados alheios. Uma dependência radical. Sem aqueles socorros diários eu não teria sobrevivido. E, quando tive câncer, a vida me devolveu às necessidades originais. Após a cirurgia voltei a depender de todos os que estavam à minha volta.

— É justamente o que eu tenho vivido hoje, Ana. A todo instante tenho o ímpeto de realizar o que preciso, processo natural de quem ainda não se acostumou ao novo estado de vida, mas imediatamente recebo a resposta do corpo a me dizer que não pode mais.

— Sim, minha amiga!

— Ana, estou assustada com uma coisa.

— Com quê?

— Como nosso corpo se deteriora rápido!

— Sim, muito rápido.

— Meu Deus, o esgotamento físico é um mistério. É impressionante a rapidez com que nos desintegramos. Aqui, neste momento, deitada nesta cama, identifico em mim a concretude da convicção religiosa: somos pó.

— Sim, Sofia, somos uma poeira que o vento do tempo leva com facilidade. É também um aprendizado que a hora da essência nos permite viver: vaidade, tudo é vaidade.

— E como é!

— Até do corpo nós precisamos nos desprender. Com o passar do tempo, as destrezas vão partindo, o corpo vai reivindicando um remanso mais calmo, uma rotina mais simbólica, menos utilitária, mais delicada, menos opressora. Mas a doença apressa tudo isso. De repente, o que estava disposto deixa de estar, o que era bonito sofre o inevitável percurso da desfiguração.

— Justamente, Ana. A doença me fez descer a ladeira, de uma única vez. E sei que ainda terei muito o que descer.

— E estarei aqui para descê-la ao seu lado.

— Obrigada. Vou precisar. Eu sinto que estou deixando de ser.

— Não, nunca, você está deixando de estar. O corpo lhe exigiu muito o verbo estar. Aqui, ali, lá, acolá, trabalhar, andar, fazer, inúmeros verbos que a fizeram estar. A enfermidade reduz as chances do verbo estar, mas amplia as chances do verbo ser. Confesse, há muito tempo você não era tão você.

— Ah, meu Deus, como você tem razão. Que distinção formidável.

— Não é? Você está tendo a oportunidade de intensificar o seu processo de ser, abrangendo áreas que até então permaneciam sob névoa, pouco visitadas. Você está expandindo sua consciência. O corpo, ao deixar de estar como antes podia estar, pois está debilitado e inseguro, deixa de ser obstáculo para a expansão do ser. Então, corrija comigo: você não está deixando de ser, você só está deixando de estar.

— Será isso o significado de morrer?

— Creio que sim, Sofia. Mas, agora, me diga uma coisa.

— Digo.

— Como foi dormir com Maiakóvski?

— Foi lindo. Sua voz me conduziu. Dormi e nem vi você saindo.

— Eu percebi. Terminei de declamar o poema, louca para receber o aplauso da plateia, mas nada. O que recebi foi um silêncio profundo. Esperei um pouco. Quem sabe você retornaria de Nárnia e me contaria o que havia achado de minha atuação. Nada. O silêncio continuou, intercalado por roncos que pareciam nascer de uma britadeira.

— Não seja exagerada. Eu não ronco.

— Meu marido também jurava que não roncava. Mas parecia uma capivara dormindo.

— E como dormem as capivaras?

— Não sei exatamente, mas presumo que sejam roncadoras.

— É bem provável que sejam.

— Como se sente?

— Além de estar incomodada por estar tão dependente?

— Sim, algo além de sentir-se inválida?

— Ana, quem a ensinou a dizer coisas tão cruéis sem que sejam ofensivas e que soem engraçadas ao mesmo tempo?

— A vida sempre fez o mesmo comigo, meu amor. Ela sempre teve o péssimo hábito de me deixar ao léu. Outra coisa não me restou a não ser aprender a rir de minha própria desgraça.

— É uma arte.

— Extrair uma graça na tristeza diminui o peso do que carregamos.

— Eu nunca consegui fazer isso.

— Sim, levou tudo muito a sério. Faltou-lhe um pouco de leveza na lida com as adversidades.

— Aprendi com minha mãe. Só lidava com as dificuldades dramatizando. Era mestra em teatralizar o menor dos acontecimentos.

— E o drama faz com que tudo nos pareça maior. Não que a graça nos livre de sofrer, mas ela diminui o tempo com que nos ocupamos com a dor, além de nos oferecer uma fuga temporária, é claro.

— Mas não é um erro fugir da dor que precisamos enfrentar?

— Depende. A graça e o humor funcionam como um anestésico nas fases agudas. Às vezes o fardo é tão dolorido que ele se torna necessário. Passamos por ela, sorvemos o sorriso provocado, o breve deleite de sua duração, mas depois reassumimos a luta.

— É como encontrar água no deserto.

— Perfeito. A travessia continua a esperar por nós. O oásis é um prazer repositor. Não nos fixamos nele. Sentamos sob suas sombras, tomamos de sua água, descansamos sob sua proteção, e depois prosseguimos.

— A tentação é ficar.

— Não suportaríamos ficar.

— Eu suportaria.

— Não se engane. O oásis é lugar de passagem, meu amor. Por isso é oásis. É sua dimensão temporária que o torna tão atraente. Depois do descanso e da saciedade nós queremos é a travessia, porque para ela é que fomos feitos. Você gosta de museus?

— Gosto muito.

— Já imaginou se a trancassem no Louvre e dissessem que você nunca mais poderia sair?

— Não suportaria.

— Fale-me um artista de que você gosta muito. Pode ser um cantor ou uma banda.

— Dire Straits.

— Ok, vou colocar você num concerto do Dire Straits que nunca mais vai terminar. Como é mesmo o nome do vocalista da banda?

— Mark Knopfler.

— Isso. Mark Knopfler vai cantar dia e noite, só para você. Sem pausa, sem intervalo. Dire Straits dia e noite, noite e dia.

— Misericórdia.

— Mais um exemplo. Qual o seu prato preferido?

— De louça.

— A bonitinha comeu "palhacitos plus vitaminados" antes de eu chegar?

— Só quis ser engraçadinha.

— E foi. Fale-me seu prato preferido, antes que eu a derrube dessa cadeira sem dó nem piedade.

— Bacalhoada.

— Então, a partir de hoje, você não comerá outra coisa a não ser bacalhoada. No café da manhã, no almoço, no café da tarde, no jantar, de madrugada, porque eu sei que a senhora arrombava a geladeira durante a madrugada, sim.

— Como sabe?

— Mulher sofrida geralmente come muito.

— Claro, é uma forma de compensar. Ansiedade demais.

— Sim, mas eu nunca vi uma pessoa ansiosa levantando de madrugada e falando "Ai, meu Deus, que ansiedade. Vou lá na cozinha comer uma salada de rúcula com pepino". Ela se atraca é com a travessa de pudim.

— Para de narrar a minha vida, criatura!

— E, então, o que acha de passar o resto da vida só comendo bacalhoada?

— Considerando que para mim o resto da vida não chega a um mês, acho ótimo!

— Acabei de mudar agora o seu prato preferido para buchada de bode.

— Não, pelo amor de Deus!

— Pois então leve a sério a minha pesquisa e responda como se não soubesse que em breve vai habitar um tubinho de madeira, inteiro adesivado com o escudo do Palmeiras.

— Pelo amor de Deus, não permita que me coloquem naqueles caixões horrorosos! Está certo, eu não suportaria comer bacalhoada todo dia.

— Está vendo como eu tenho razão? O aprazível de uma realidade está intimamente ligado à sua duração. É sua natureza breve que nos encanta.

— Mas a gente não é consciente disso. Ingenuamente acreditamos que suportaríamos eternamente a repetição de tudo o que gostamos.

— Você está certíssima. Ingenuamente acreditamos que queremos viver só para o que nos satisfaz. A visão romântica que temos da vida nos impede de avaliar com mais crueza os nossos gostos. Uma obra de arte pode ser eterna, mas o que dela eu experimento não. Ela é generosa. Permite que sua eternidade visite a minha brevidade. Eu não a levo para casa. Eu a contemplo e depois vou embora. O tempo que passo diante dela me permite transcender. Saio de mim, viajo pelos caminhos que ela me sugere, adentro as entranhas da minha realidade humana e depois retorno. Um deleite que produz em mim o mesmo que o remédio produz no ansioso ou a droga no dependente químico. A arte me traz leveza, Sofia.

— Sim, a mim também, Ana.

— Eu costumo dizer que é o meu vício bom. Sou viciada em beleza. Corro atrás dela. Quero ficar diante de tudo o que a ela deu abrigo. Quero filme, quero livro, quero música, quero teatro, quero quadro, quero escultura, quero arquitetura, quero catedrais, museus, tudo o que tem o dom de me ajudar a atravessar o deserto.

— Você falou em catedrais. Eu não consegui colocar em Gustavo o gosto pela religião.

— Mas você é religiosa?

— Desde criança.

— Mas perdoe-me, sabendo o que já sei sobre você, não acredito que sua religião tenha lhe rendido bons frutos.

— Por que você diz isso?

— Sofia, você passou boa parte de sua vida mergulhada em mágoas, ressentimentos, plantando em seu filho o mal que a matava aos poucos. Não me parece coerente. A função da religião não seria nos livrar de tudo isso?

— Sim.

— Então está explicado o porquê de não ter conseguido fazer o menino aderir à religião. Ele rejeitou porque não viu os frutos em você. A nossa geração, sem medo de errar, não rejeitou a religião por falta de coragem. É lamentável, mas muitas pessoas que se dizem religiosas vivem bem distantes dos bons frutos que a religião pode oferecer. Limitam-se às obrigatórias e maçantes repetições rituais, sem nunca usufruir das mudanças que a pertença religiosa pode proporcionar.

— Verdade, Ana. Eu já pensei muito sobre isso. O Gustavo não viu os frutos em mim, por isso rejeitou o que propus. Nossos filhos são mais críticos do que nós.

— E bem mais corajosos para nos dizer o que querem e o que não querem.

— Nós assimilamos muitos conceitos sem antes tê-los criticado.

— Sim, não éramos educadas para colocar um filtro naquilo que ouvíamos. Assimilávamos ainda que não fizesse sentido. Muitas pessoas ficam descrentes com a religião que gostavam de praticar na infância. Ou porque perceberam incoerência nos pais, ou porque não fizeram a atualização crítica. Quiseram acreditar como acreditavam antes. Mas não é possível. Não é possível. A razão, mais cedo ou mais tarde, vai fazer perguntas à fé. E é preciso saber responder, ou então, pelo menos, conceder uma nova contextualização às perguntas.

— A evolução espiritual é importante. Quando ela não acontece, inevitavelmente passamos a viver um ateísmo prático.

— A famosa hipocrisia religiosa. Finge acreditar, finge viver o que finge acreditar. E os fingimentos vão puxando outros num ciclo que nunca termina.

— Mas eu gostei muito disso que você disse.

— Eu disse tantas coisas. Qual delas?

— A questão de não suportar por muito tempo o que gostamos porque gostamos justamente por ser breve. Isso me fez pensar sobre a eternidade. O que pode ser inferno para alguns, para outros pode ser céu.

— Justamente. Sempre que pensamos a eternidade, nós o fazemos a partir de situações, lugares e pessoas que nos dão prazer. Então eu posso ter um conceito de céu muito diferente do seu.

— Foi o que pensei. Quando elejo as situações que me realizam, trazem satisfação, eu o faço a partir de minhas preferências. Mas se o céu é um conceito coletivo, como posso colocar o outro no mesmo projeto que o meu, sabendo que suas preferências e escolhas são outras?

— É o limite que temos. Nossa linguagem só nos permite falar da eternidade a partir de conceitos térreos, humanos. Nossos céus e nossos infernos são sempre construídos a partir do que nossa inteligência conseguiu identificar como bom ou ruim. Mas o bom e o ruim são conceitos relativos, pois esbarram no gosto pessoal de cada um.

— Complicado, não é?

— Demais da conta.

— Será que alguém saberia nos esclarecer?

— Não conheço ninguém que tenha morrido e voltado para nos contar. Vou ficar lhe devendo essa, meu amor.

— Talvez a fé na ressurreição de Jesus nos dispense de procurar por essas respostas.

— Vou lhe confessar uma coisa. Eu nasci cristã, mas do cristianismo só me restou a admiração por Jesus. Eu me desencantei com as instituições religiosas. Há tempos eu encontrei no budismo uma filosofia que me ajuda a viver. Eu me identifiquei justamente por não ter a estrutura dogmática. Mas você tem toda razão. Acreditar na ressurreição deveria dispensar as pessoas dessas perguntas que não as levam a lugar nenhum.

— Concordo com você. Crer na ressurreição sugere um estilo de vida que dispensa saber como será a vida após a morte.

— Claro. Se estou certa de minha ressurreição, não perderei tempo perguntando como será. Prefiro muito mais que seja uma esperança cravada em mim, uma ansiedade boa que me faça viver bem.

— Como se estivesse esperando por uma grande festa.

— Isso, gosto dessa ideia. E festejo enquanto espero. Atravesso o deserto, mas também paro nos oásis, acolho cada gota de vida que cair sobre mim.

— Seria tão mais simples, Ana.

— Muito mais, meu amor. Praticar uma espiritualidade que nos faça prestar atenção na vida faz toda diferença. Um jeito de ser religioso que interfira nas nossas escolhas, que qualifique o tempo presente, que nos livre das visões ingênuas, das compreensões redutoras, preconceituosas e desumanas.

— Uma religião que nos permitisse crer em Deus, mas sem abrir mão dos recursos da inteligência. Às vezes eu ficava muito incomodada ao ouvir pregações que feriam o bom senso, que passavam longe da lógica. Coisas sem sentido.

— Sim, a fé exige um discurso altamente qualificado para que não pareça bobo. Mas compreenda-me bem, quando falo *altamente qualificado*, eu me refiro à poética e ao lirismo, que são as linguagens religiosas por excelência.

— Ah, mas tudo o que não tinha naquelas pregações era lirismo e poética. Não era bonito, tampouco um discurso que tinha alguma aplicabilidade prática. Frases perdidas, soltas, moralistas, completamente desconectadas da realidade, muito mais ditas por obrigação do que por valor.

— Quando subtraímos o lirismo de nossos discursos, deixamos de conduzir o outro aos esconderijos da verdade. É ele que abre as portas para o entendimento que transforma a vida. É um crime a dispensa das metáforas ou sua compreensão ao pé da letra. Quando assim procedemos, matamos sua força sugestiva. É a questão da eternidade de que falávamos antes.

— Sim.

— Veja bem, o conceito de felicidade eterna não se aplica à vida. É uma metáfora que não pode ser submetida à análise racional. Ela não sobrevive ao esquartejamento da razão. Por mais que queiramos, não seremos capazes de dizer o que significa *felicidade eterna*. Felicidade que não termina? Sim, o que seria essa felicidade?

— Esbarramos no gosto de cada um.

— Sim, mas o conceito sugere. E sua sugestão não pode nos fazer esquecer que a vida também é luta, é parto constante, é dor, é sacrifício.

— Eu escutei a vida inteira que a vida que agrada a Deus é a que vivemos no sacrifício.

— Sofia, e esse reducionismo é uma faca que cravamos na fé de uma pessoa. O sacrifício é importante, claro. Tudo o que você consegue crescer como pessoa naturalmente passa pela sua resiliência, sua capacidade de sobreviver aos sacrifícios. Mas há um risco quando as religiões desvinculam os sacrifícios das alegrias, evidenciando-os somente como sombra, sem a luz que eles trazem, que eles promovem. Elas, as religiões, fomentam a cultura do "dolorismo", que impõe culpas horríveis ao ser humano, salientando um Deus sofrido porque nós O ofendemos, magoamos.

— O dolorismo desenvolve nas pessoas uma aversão pelo mundo. Minha mãe pensava exatamente assim. Vivia se sacrificando porque queria aplacar o sofrimento que Deus sentia ao ver o mundo perdido.

— A sua mãe sofreu o que muitas pessoas sofreram e sofrem. Pensando que vivia uma frutuosa experiência religiosa, ela se limitava a fazer uma péssima experiência de si mesma. Certamente por ser vítima da culpa imposta pelo cristianismo, passou a jogar sobre Deus todas as neuroses que não curou em si.

— Como tudo isso faz sentido, Ana! Minha mãe era uma mulher amargurada, sempre infeliz, mas com o terço nas mãos, fazendo jejuns, orações e novenas.

— Uma contradição na raiz, não é mesmo?

— Claro!

— Poderia fazer tudo o que fazia: jejuns, orações, mas com um sorriso no rosto, um semblante feliz, leve, típico de quem mora bem em si mesma.

— Teria sido diferente para mim. Eu certamente teria herdado o cristianismo de outra forma. Ou, ainda que não continuasse cristã, permaneceria com seu testemunho: "o cristianismo de minha mãe a transformou numa mulher feliz, realizada. Sofreu, mas viveu bem".

— Com certeza. A mim soa muito estranho que as religiões tenham desprezado o valor da alegria, do prazer; que tenham criado um abismo entre o sacrifício e o resultado. Esqueceram de nos contar que Deus é amor, Sofia. Os cristãos, por exemplo, pouco se recordam de que o primeiro milagre de Jesus foi a multiplicação do vinho, símbolo da festa. Ele o fez para que a comemoração não terminasse. Não consigo conceber que uma concepção religiosa possa sugerir um desprezo pelo que é naturalmente belo, bom e verdadeiro.

— Também não consigo. Transformam a vida em espera pela morte.

— E se esquecem de que a maneira mais eficaz de preparar a morte é vivendo bem. Como já lhe disse, quase todo dia vejo alguém morrer. Posso lhe afirmar: morre melhor, com mais desprendimento, mais leveza, os que viveram bem. Há os que custam a partir. É como se estivessem amarrados em toneladas de rancores, mágoas, ressentimentos, faturas que julgam necessitar receber da vida.

— Sou uma candidata a morrer assim, Ana.

— Era. A carne de terceira está sendo amaciada. Daqui a pouco terá a textura de um filé-mignon.

— E é você quem está batendo o bife.

— Você também precisava bater bifes?

— Não, mas eu via na casa de minha amiga. A mãe dela batia.

— Recursos de gente pobre. E dava certo. Você não está cansada?

— Não. A conversa está tão boa. Que horas são?

— Meu Deus, quase uma da tarde. E a senhora ainda não almoçou. Vou ali providenciar e já volto.

— Obrigada, Ana. Vou esperar você aqui.

— Nem ouse sair sem mim.

— *Aonde eu iria, mestre, só você tem palavras de vida eterna.*[7]

— Está parecendo aquelas carolas que sabem repetir os versículos bíblicos.

— Não, não foi uma repetição, embora o versículo exista e esteja no Evangelho de João.

— Mas não é uma repetição?

---

7. Referência à passagem bíblica: "Respondeu-lhe, pois, Simão Pedro: 'A quem iremos, Senhor? Tu tens palavras de vida eterna'" (Jo 6,68).

— Não. O que eu acabo de dizer é resultado de uma verdade muito honesta.

— Não adianta. Esse elogio não lhe renderá uma bacalhoada.

★★★

Logo após o almoço, novamente embarquei num sono profundo. Já estou desperta, mas não abro os meus olhos. Nunca experimentei sonos tão profundos. O retorno é sempre da mesma forma. É como se estivesse acordando de uma anestesia que me provocou esquecimento do que antes vivi.

Aos poucos, vou sendo capaz de reassumir a realidade. A primeira consciência que me ocorre é que estou morrendo, como se o corpo estivesse impondo à mente uma urgência, uma tomada de posição que revertesse o fato.

Estranho esse sentimento, olhar-me como se em mim houvesse uma gerência que vive apartada do corpo, um comando imaterial que me chega pelo que chamo de mente, uma seção que não sofre as consequências da decomposição material. Tenho um comando? Onde mora em mim a parte material que gerencia o que em mim não é material, inclusive me permitindo a consciência de que eu sou eu?

Há muitos que interpretam o coração como uma central de onde todas as atividades são gerenciadas. Sou mais racional. Sei que é no cérebro que tudo começa. Minha identidade, tudo o que posso compreender como *eu* está ali, em algum lugar que a neurociência ainda não definiu. Eu sei que sou eu.

É um sentimento que me ocorre. Mas não posso dizer muito sobre isso. É um saber que não pode ser submetido aos postulados da razão. Hoje eu estou movida por esta consciência: *sei quem sou e sei que estou morrendo.*

Morrer é tão mais do que deixar de ser corpo, penso. Em breve esta matéria que percebo e que pesa sobre a cama será levada ao crematório. Serei reduzida a cinzas, ou a pó, como preferiu dizer Cartola: "Ainda é cedo, amor...". Também acho. Cedo demais. Tanta coisa ainda para ser vivida. Tantas músicas para serem escutadas, tantos livros para serem lidos. "Mal começaste a conhecer a vida..." Tem razão, Cartola, mal comecei. E já estou indo. Conheci uma porção bem miúda. E, quando podia conhecer, eu me recusei. Faríamos tudo tão diferente se soubéssemos que morreremos. Mas todo mundo sabe. É a única certeza que temos. Mas os disfarces que usamos nos fazem esquecer. "Ouça-me bem, amor, preste atenção..."

Misteriosamente, Ana começa a cantar este trecho da música no exato ponto em que reflito:

O mundo é um moinho
Vai triturar teus sonhos tão mesquinhos
Vai reduzir as ilusões a pó.

Ana continua cantando. Meus olhos ainda estão fechados. Sua voz está vindo do banheiro. Que conexão é essa que estabeleci com essa mulher? É como se estivéssemos juntas, desde o ventre materno.

Ana me descreve, me explica, me confunde, me conserta, me ajeita, me fere, mas, sobretudo, me cura. Dela estou recebendo o que o corpo precisa. É uma excelente profissional. Estou extremamente confortável, apesar de saber que tudo em mim está funcionando de forma precária e insuficiente. Meu corpo está reagindo misteriosamente. Não estou evoluindo para a piora, para a debilidade, como havia previsto o doutor Rogério. Em poucos dias sob o seu cuidado, embora o câncer continue crescendo, o meu corpo reassumiu vitalidade e ânimo.

Ana injeta diariamente em minhas veias palavras e afetos que provocam outra forma de cura. Silêncio. Sei que está muito próxima de minha cama. Ouço sua respiração, sinto seu perfume. Às vezes, tenho a tentação de pensar que ela não existe, que é apenas um ser criado pelo resultado dos remédios em mim.

— Agora deu para pensar que eu sou um fantasma?

Não posso acreditar. Essa mulher está lendo os meus pensamentos. Abro os olhos. Ana está ainda mais bonita. Percebo que ela não está com a mesma roupa que estava quando me colocou na cama para dormir, logo após o almoço. Algo aconteceu.

— Você foi em casa trocar de roupa?

— Minha amiga querida, você ficou sedada durante seis dias. Está retornando agora.

— Sedada? Durante todo esse tempo?

— Sim, precisamos fazer isso. Não queria, mas foi necessário.

— Mas o que aconteceu?

— Você não se recorda de nada?

— Não, a última lembrança que tenho foi você me colocando na cama, porque eu estava cansada da poltrona.

— Pois é, você tinha almoçado, estava muito bem, mas logo que a coloquei na cama você começou a ter umas reações estranhas. Começou a não dizer coisa com coisa e teve uma crise de agressividade que nos deixou muito preocupados. Ficou impossível de lidar com você. Tentamos de todas as formas, mas vimos que você não estava consciente do que estava acontecendo. E, para que não precisasse ficar amarrada, eu decidi sedá-la. Assim podíamos avaliar melhor o que estava acontecendo.

— E descobriram?

— Sim, mas nada do que já não esperávamos.

— E o que é?

— Há uma metástase no cérebro.

Estou imóvel. Não posso acreditar. Em meio a tantas derrotas, eu tinha visto uma vitória: ficar consciente até o fim. Mas, agora, já não posso alimentar essa esperança. Um tumor no cérebro pode significar perder a noção de quem sou, do que faço. Não quero.

— Ana, você não vai acreditar.

— O que, meu amor?

— Enquanto eu retomava a consciência, estava pensando justamente no funcionamento do meu cérebro.

— E por que você incorporou a neurologista tão repentinamente?

— Porque eu me coloquei a pensar sobre a consciência de saber que estou morrendo. Fiquei interrogando algumas coisas.

— Que coisas, doutora Sofia Dorneles de Freitas?

— Deixa de chacota, estou falando sério.

— E eu não estou desdenhando da senhora, doutora Sofia. Continue.

— Debochada. Eu estava pensando sobre onde fica no meu cérebro a parte que sabe que eu sou eu, e não uma outra pessoa.

— Esse assunto é bom. Eu me interesso muito por neurociência.

— E o que você tem a me dizer sobre essa minha curiosidade?

— A partir da neurociência?

— Sim.

— Muito pouco, meu amor. Ainda não conseguiram encontrar no cérebro o lugar onde mora a consciência de que somos quem somos. O que descobriram é que esse conhecimento que nos ocorre, e que nos dá a convicção de que eu sou você e você não sou eu, é o resultado de interações de partes que compõem o sistema cerebral. Mas não é possível localizar no cérebro um lugar específico para isso.

— Foi o que intuí.

— Mas sobre este assunto temos excelentes contribuições de outros saberes. A filosofia e a psicologia, por exemplo, são fundamentais para montarmos o mosaico do eu. A questão é antiga. Desde que o ser humano começou a pensar sobre suas questões, desde o momento em que ficou conflitado consigo, a questão do *eu* entrou na pauta da curiosidade humana. Mas o que você estava especificamente pensando?

— Que é interessante perceber que há uma parte de mim que não adoece, como se fosse um centro de comando que permanecerá no controle até o final. Esse centro me permite sair do hospital, visitar minha história, reencontrar pessoas, mesmo estando num corpo que apodrece aos poucos.

— Sim, Sofia, essa parte, quando não acometida por alguma patologia, mantém o controle até o fim.

— Chegou aonde eu queria. O tumor que tenho no cérebro poderá matar esse controle, antes da morte do meu corpo?

— Sim, poderá, meu amor. Não vou mentir para você.

— Você sabe que eu não gostaria que isso acontecesse?

— Você sabe que eu não gostaria da mesma forma que você?

O medo está em mim. É pavoroso pensar que eu posso abandonar o meu corpo, deixando-o no ermo do esquecimento, privado da consciência de sua identidade. Dói-me pensar que existe a possibilidade de perder o comando sobre a matéria que sou, deixando de acompanhá-la em suas horas finais.

— Que crueldade, Ana.

— Sim, Sofia, a vida costuma ser cruel. Mas para isso temos as pessoas que nos amam. Para que nos ajudem a minimizar os efeitos de sua crueldade.

— Sempre achei o Alzheimer uma das piores doenças.

— Também acho. É muito triste ver a pessoa ir embora do corpo. A memória se esfacelando como se fosse uma porcelana delicada. Já acompanhei muitas pessoas nesse sofrimento. A família inteira sofre.

— Dizem que a família sofre mais.

— É a resposta mais fácil, meu amor, mas sofrimento não é mensurável. É claro que aquele corpo sem memória sofre. Há dores físicas. E, mesmo que a pessoa já não saiba dizer nada sobre si, não sabemos precisar o quanto ela experimenta o sofrimento.

— É verdade. Talvez as pessoas se refiram ao sofrimento emocional, já que a pessoa sem memória não é mais capaz de dar significado ao que vive.

— Ainda assim eu prefiro nada dizer. Quem nos garante que o sofrimento emocional também não esteja ali, mesmo que não haja pleno exercício da memória? Prefiro cuidar e acolher. Muitos familiares sofrem porque não querem ver tão à mostra a indigência de quem amam.

— Sim, há casos em que a pessoa se torna agressiva, com um comportamento completamente inusitado.

— Já vi senhoras que sempre foram muito recatadas, educadas, incapazes de pronunciarem uma palavra ofensiva, gritando impropérios. E não é nada fácil ver uma transformação assim da noite para o dia. É o mistério do cérebro. Em algum momento algumas conexões deixam de ser feitas e ficamos inteiramente entregues ao desconhecido, ao obscuro do cérebro.

— Ana, o que pode acontecer comigo?

— O tumor que cresceu no seu cérebro não é pequeno, meu amor. Aliás, o câncer que você tem se caracteriza justamente por ter uma multiplicação celular muito rápida.

Ele está numa região que não prejudica sua habilidade motora, o que é muito bom. A perturbação mental que você teve pode ter sido proveniente do edema provocado pelo tumor. Mas você respondeu bem aos corticoides. Hoje não há mais o inchaço de antes. Vamos acompanhar.

— E o que farão caso eu volte a ter a perturbação?

— Tudo vai depender de como você reagirá. Se não ficar agressiva como ficou, faremos a intervenção medicamentosa com você consciente. Hoje você está com doses mais baixas de corticoide e a resposta está sendo muito boa.

— Foi você quem sugeriu diminuir a sedação?

— Sim, mas o doutor Rogério concordou. Eu já estava com saudade de você. Ainda temos muitas fofocas a fazer.

— Seria horrível se eu não pudesse voltar, Ana.

— Fique tranquila. Sempre que for possível eu lhe trarei de volta. Só não interferirei quando você me disser que não quer mais.

— Por favor, se você perceber que o meu comando já não existe mais, que o meu corpo está desgovernado...

— Ou governado por uma Sofia que manda o doutor Rogério ir pra puta que o pariu...

— Pelo amor de Deus, não me diga que eu falei isso a ele.

— Sim, e ainda me mandou tomar no...

— Mentira, Ana, eu nunca falei essa frase horrorosa.

— Pois então risque-a da lista das coisas que você nunca disse, meu amor.

— Meu Deus, que vergonha! Eu nunca mais vou conseguir olhar na cara do doutor Rogério.

— Só porque o mandou à puta que o pariu?

— Ai, Ana, não repita isso, tenho pavor de palavrão.

— Mas isso foi o mais puro e delicado que você falou com ele...

Sem que Ana tenha terminado a sua frase, a porta do quarto se abre. Nada pode ser pior para mim. É o doutor Rogério. Fecho os olhos. Quero morrer, mas não quero olhar na cara desse homem. Ana não perde a oportunidade de me deixar ainda mais constrangida:

— Pelo jeito o senhor não foi à puta que o pariu.

— Não fui, sou desobediente.

— Nem eu fui fazer o que ela me propôs fazer.

— Ainda bem. Certamente nem estaria com disposição para o trabalho. Como você se sente, Sofia?

— Pelo amor de Deus, doutor Rogério, eu não tenho coragem de olhar na cara do senhor.

— Mas por quê?

— Pelos motivos que o senhor sabe muito bem.

— Não se preocupe. Você estava sem controle de si. Eu só quero saber como é que você acordou. Eu confesso que não vim durante a sedação, pois precisei viajar. Mas eu sabia que você estava muito bem assistida por Ana. Vi todos os exames e estou muito feliz que a medicação tenha conseguido fazer regredir o edema cerebral. Assim evitamos um processo cirúrgico.

Abro meus olhos. Estou envergonhada, mas a transição da brincadeira para o assunto que precisa ser tratado aconteceu naturalmente. Ana não tinha me falado que existia a possibilidade de uma cirurgia. Mas é claro que existia. Era só raciocinar. Inchaço cerebral quase sempre precisa de uma abertura craniana para evitar a pressão do cérebro. Respiro aliviada. Certamente não sobreviveria. Estou debilitada demais para enfrentar um procedimento do tipo. Se esse episódio fosse antes da chegada de Ana à minha vida, é certo que comemoraria a necessidade de uma cirurgia que abreviasse o que preciso viver. Já estava entregue ao processo da morte, mas agora não. Sinto em mim o flamejar de uma esperança, um movimento na alma que me faz desejar abrir datas futuras em minha agenda, um visgo que me prende ao desejo de continuar a receber e vivenciar a hora da essência.

Gostaria de não morrer, mas sei que esse desejo não faz sentido. Sei que não estou fazendo tratamento para contornar a minha enfermidade. Tudo o que a mim tem sido dispensado gira em torno de um único objetivo: me ajudar a morrer. Seria infantil de minha parte alimentar a pretensão de que seria possível reverter o quadro, mas eu só queria mais alguns meses. Queria apenas o direito a um tempo maior para conviver com a mulher que tenho descoberto dentro de mim.

De repente, percebo que saí de mim, como tem sido costumeiro acontecer. Retorno ao quarto e noto que não vi o médico sair do quarto. Não sei quanto tempo se passou. Não importa. Meus devaneios me retiram do tempo e estou sempre justificada. Nem desculpas eu preciso pedir.

— Eu não vi o doutor Rogério sair, Ana.

— Sim, eu percebi que você estava longe. Mas ele conversou com você.

— E eu respondi?

— Sim, disse que ele era lindo e que o que você mais queria na vida era beijar a boca dele.

— Pelo amor de Deus, Ana! Não brinca que eu falei um absurdo desse.

— Estou brincando, você não falou nada. Apenas ficou olhando para ele, prestando bastante atenção.

— Não brinque com isso. Já estou sem graça demais com ele.

— Ah, mas bem que você daria uns pegas nele, caso pudesse.

— Ele é lindo.

— Lindo demais.

— Mas eu estou ficando preocupada com essas ausências. Às vezes não sei o que acontece. Estão acontecendo desde que saí do primeiro coma. É como se uma nuvem descesse do céu e me levasse com ela.

— Você está fazendo uso de medicamentos muito fortes, meu amor. É natural que você tenha esses arrebatamentos. E eles não são bons?

— São, porque me permitem longas e demoradas conversas comigo.

— É isso que importa, aproveitar toda e qualquer oportunidade para ficar em si, num mergulho profundo e frutuoso nas águas de sua essência.

— Nunca imaginei que me faria tão bem conviver comigo, Ana!

— Depois que descobrimos o prazer que há no autoconhecimento, nunca mais queremos abrir mão dele. Aliás, passamos a persegui-lo. Queremos tudo o que nos favoreça andar pelos caminhos de dentro.

— Tem me ajudado muito as nossas conversas, Ana. É como se as palavras abrissem estradas dentro de mim.

— E abrem. É por elas que passamos para chegar ao melhor de nós.

— É verdade. Mas nem sempre as estradas nos oferecem um destino para chegar. Porque elas já são o lugar. Só que não percebemos.

— Sim, todas as estradas são um lugar, mas também podem ser oportunidades para que nos percamos. Já pensou no quanto é importante você se perder?

— Não, sempre achei que estar perdido não é bom.

— Sim, é desconfortável, mas também nos ajuda a crescer. Ficar perdido nos estimula a descobrir novos caminhos. O que nos mantêm vivos são os desafios, minha amiga. Se você percebe que se perdeu, naturalmente terá de construir outra solução, diferente daquela com que você já estava acostumada.

— É verdade, os descaminhos também despertam o nosso processo criativo.

— O que nos prende à vida é o delicado barbante do perigo, Sofia. É a ameaça que nos move. Nunca nos despediremos das consequências da expulsão do paraíso. São elas que não nos permitem ficar muito tempo nos oásis que encontramos. Está escrito em cada um de nós, no mais profundo da consciência, a instância que nos permite saber quem somos. É lá que está o estatuto original. E não foi alterado. Continua o mesmo deixado por Adão e Eva.

— Como você compreende a descrição bíblica da origem humana?

— É uma metáfora belíssima que me aproxima da verdade, mas sei que não a esgota. Nunca quis nem permiti que fosse lida ao pé da letra. Seria empobrecer a Escritura Sagrada. Acreditar que Deus moldou o ser humano do barro e o colocou preso num paraíso não me parece maduro, tampouco inteligente.

— Nem a mim. Mas fui educada para acreditar que foi assim.

— Eu também.

— E você não protestou?

— E por que eu faria isso?

— Para demonstrar suas razões.

— Meu amor, entre ter razão e ter paz eu prefiro a segunda opção. O dito popular está corretíssimo. Além do mais, a razão que me move não é a que passa pelo convencimento que realizo na mente do outro, mas a que levo em mim. Ouvia minha catequista explicando a história do paraíso perdido e, quando ela perguntava se alguém tinha alguma dúvida, eu respondia que não. E com um lindo sorriso nos lábios.

— Discordava em silêncio e sorrindo. Bem típico de Ana Flores.

— Ela nem imaginava o quanto aquele sorriso escondia as convicções hereges que eu tinha. Se eu estabelecesse o embate, com certeza ela me encaminharia ao padre da paróquia. Ele certamente me infligiria uma punição. Os contestadores dificilmente se dão bem dentro das estruturas religiosas. Agora eu lhe pergunto: o que mudaria para mim fazer a contestação?

— Nada.

— Justamente, absolutamente nada. Há convicções que nos pertencem. Não são para os outros. Sobretudo quando falamos de questões religiosas. Tenho para mim que a religiosidade é um lugar privilegiado de exercício de nossa subjetividade. Por isso nunca podemos mensurar a fé de alguém. Nunca nos será permitido dizer quem crê mais, quem crê menos. O que faz sentido para mim pode não fazer para você. A sua fé pode levá-la por lugares nos quais eu nunca serei capaz de colocar os pés. Porque é sua, tem suas formas, suas medidas.

— Verdade, Ana. Deus nos fala com a voz que a gente entende.

— Justamente. A maneira como nós O acessamos depende da história que vivemos, dos livros que lemos, das pessoas que ouvimos, das influências que recebemos. A sensibilidade religiosa está intimamente alinhavada à história de cada um. Nossas emoções determinam muito a maneira como compreendemos a presença de Deus no mundo.

— Mesmo porque é em nós que Ele se manifesta.

— Sim, em nós e a partir de nós. Estou o tempo todo descobrindo-O, conhecendo-O. A todo instante me deparo com situações e sentimentos que me fazem viver o mesmo que Moisés viveu diante da sarça ardente. Recorda-se da história?

— Vagamente. Não foi uma história que registrei.

— A mim marcou muito. Deus se manifestou a Moisés por meio de um arbusto que queimava, mas sem se consumir. Não é uma imagem linda?

— Muito.

— Uma linda teofania.

— O que é mesmo uma teofania, Ana?

— Uma manifestação de Deus, meu amor. Um momento epifânico, o instante que Deus sequestra do tempo, arranca de suas mãos, impregnando-o de beleza, tornando-o eterno.

— Um instante inteiramente dedicado ao belo, bom e verdadeiro.

— Sim, às sarças que ardem ao redor do meu mundo.

— Você certamente já se deparou com muitas. Você tem uma sensibilidade experimentada.

— Tenho, mas faço questão de educá-la diariamente. Para que seja cada vez mais experiente, Sofia. É ela que me faz extrair a graça temporária.

— Como a que coloca facilmente nas palavras.

— É um elogio?

— Claro que é.

— Obrigada.

— Como já lhe disse, você tem uma capacidade imensa de brincar com o que no outro é doído, vergonhoso, mas sem que isso o humilhe ou soe ofensivo. E, agora, você falando da sarça ardente, do oásis, do deleite espiritual, vejo que o seu jeito de ser foi construído de forma consciente, Ana. Você faz questão de garimpar o diamante que se esconde na rotina.

— Continue me elogiando, estou carente.

— É disso que eu estou falando. É impressionante a capacidade que você tem de ser engraçada na lida consigo mesma. Eu queria ter esse dom.

— Vamos em busca dele, meu amor.

— Não posso achar o que não tenho.

— E quem disse que você não o tem?

— Já convivi durante cinquenta e seis anos comigo e sei que não tenho.

— O pré-sal foi descoberto quando o Brasil já era um velhote de quinhentos anos.

— É porque antes não tinham a tecnologia certa para descobrir.

— Sim, mas também não podemos desconsiderar que descobertas estão associadas a processos de buscas. Quem não busca nunca poderá encontrar.

— Sim, muito pouco me busquei, sobretudo nos últimos anos.

— Não acho que não se busque, mesmo porque eu não sou capaz de medir o quanto o outro já buscou de si, mas uma coisa é certa: você passou longos anos sem um mínimo de esforço para buscar uma outra Sofia, diferente da Sofia amargurada e infeliz que já estava estabelecida.

— Sim, Ana, você tem razão. Eu me reduzi a uma mulher infeliz. Mas essa virtude de derramar leveza sobre o que é triste, que é tão presente em você, eu sinto que não adiantaria procurar. Eu não tenho.

— Nunca sabemos o que vamos encontrar quando buscamos, querida. A questão é buscar. Somos sempre inéditos para nós mesmos. Acredito que seja um trabalho semelhante ao do escritor, que se senta diante do computador sem saber exatamente o que escreverá. Mas, quando ele se dispõe ao exercício do seu ofício, quando deposita os seus olhos e o seu coração sobre a tela branca do computador, aos poucos ele vai selecionando as palavras, ajuntando-as, construindo a trama de seus personagens. Creio que sempre se surpreendam com o que encontram quando começam a escrever. O fio condutor é misterioso, mas ele está lá. Uma estreita conexão entre as palavras e a sensibilidade de quem busca por elas. As palavras que renderam o Prêmio Nobel de Literatura ao mestre Gabriel García Márquez[8] são as mesmas que estão à disposição de todos nós. Mas só ele soube reuni-las para criar as histórias que criou. Só ele soube, sob criterioso processo seletivo, utilizá-las para criar os enredos de suas obras.

— Todas as palavras já existem. O bom escritor é o que sabe fazer a seleção, reunindo-as. O resultado nunca é previsível.

— Sim, Sofia. E assim somos nós. A todo instante estamos escrevendo histórias. Todas elas são capítulos de nossa vida. Mas não escrevemos com palavras. É com escolhas, atitudes, posturas. Tudo o que fazemos passará a fazer parte de nossa história pessoal. As pessoas que trazemos para coadjuvarem, os sentimentos que escolhemos nutrir, as palavras que escolhemos dizer, o lugar que elegemos para ser nosso, tudo vai sendo incorporado ao texto concreto de nossa história.

— E como é importante viver acordado para essa consciência!

— Sofia, a lucidez com que escolhemos é que nos permite qualificar a vida. Salvaguardando a possibilidade do

---

8. Gabriel García Márquez, escritor colombiano, um dos autores mais importantes do século XX, recebeu o Prêmio Nobel de Literatura em 1982, pelo conjunto de sua obra.

erro, mesmo quando estamos lúcidos, pois nunca teremos pleno controle da vida, é a partir dela que nós construímos uma história com menos acidentes.

— Erramos até quando estamos esclarecidos.

— Somos erráticos. Sempre seremos. Nosso entendimento é limitado. Mas nem por isso estamos privados de assumir a administração da vida.

— Claro, imperfeitos, mas com a possibilidade de exercer o comando. A razão nos distingue de todos os outros seres. É ela que nos proporciona uma experiência mais lúcida e esclarecida.

— É a razão que nos oferece os indicativos de que estamos no caminho certo. A intuição é a filha que nasce do casamento entre a razão e a sensibilidade.

— A minha intuição sempre foi tão boa, Ana.

— Acredito. O problema é quando deixamos de ouvi-la.

— Justamente. Por que será que isso acontece?

— As paixões, meu amor, as paixões. São elas que obscurecem nossa percepção. Sob seus efeitos ficamos menos racionais.

— E como ficamos! Logo no início do meu casamento, quando decidi fechar o meu escritório, deixar de atuar como advogada, uma amiga tentou me demover da ideia. Ela dizia que achava um absurdo eu abrir mão da minha vida para viver uma dedicação exclusiva ao meu relacionamento.

— Certamente você ouviu o conselho e ficou imediatamente enfurecida.

— Você não imagina a forma agressiva como a tratei. E o pior, passei a pensar que ela estivesse apaixonada por Augusto. Fiquei convicta de que ela queria destruir o meu casamento para poder ficar com ele.

— A paixão nos cega. Mais alguém tentou alertar você?

— Não. Ela foi a única. Mas sei que ela expressou o que todos os que estavam à minha volta percebiam e pensavam.

— Onde estão os amigos do tempo de solteira, Sofia?

— Tão logo me casei fui perdendo o contato. Passei a ser mais próxima dos amigos de Augusto. Em pouco tempo eu já estava em outro círculo de amigos.

— Ele a impedia de procurar os antigos?

— Não, eu mesma fui me afastando.

— Sim, você estava apaixonada. De alguma forma os amigos antigos a incomodavam, pois no fundo você sabia que não estava no caminho certo.

— Eu acho que sim. Deixar tudo foi uma decisão impensada. Nem quis pensar muito sobre o assunto. Era uma forma de mostrar a ele que eu estava inteiramente disposta, entregue à vida ao seu lado. E, ainda que ninguém dissesse, todos concordavam com a Bia, a amiga que tentou me alertar. Mas eu não queria ouvir ninguém, só a mim mesma.

— A paixão tem esse agravante. Ficamos inacessíveis aos outros. É como se ela colasse em nossa testa um aviso de que não queremos ser incomodados.

— É verdade. E foi bem isso que aconteceu comigo. Eu não permitia o acesso dos outros.

— Quebrou a ponte que transportaria os outros ao seu mundo emocional, pessoas que a ajudariam a ouvir melhor a sua intuição.

— Sim, exatamente isso. E, aos poucos, a gente vai favorecendo a falsidade, pois as pessoas ficam desencorajadas de nos dizer a verdade.

— E os relacionamentos vão ficando fúteis, superficiais. Fala-se de tudo, menos do que realmente importa.

— Ana, sem medo de ser injusta com as pessoas que até então passaram pela minha vida, mas eu nunca tinha tido a oportunidade de falar sobre mim como tenho feito com você.

— Meu amor, você não é a única. Muitas pessoas que conheço experimentam a mesma restrição.

— Uma vida inteira dividida com conhecidos que nunca se tornaram amigos.

— Sim, pois o que chamam de amizade se limita a ser mero convívio social.

— Um uso inadequado do conceito de amigo.

— Um desrespeito pelo substantivo.

— Sim.

— O desrespeito pelos conceitos é um desdobramento natural da futilidade com que vivem. Vê a pessoa com certa regularidade, mas nunca partilhou com ela as questões que enfrenta, as histórias que já viveu, os conflitos que traz consigo, mas diz que é amiga.

— Amiga de infância.

— Exatamente. Tentam demonstrar publicamente uma intimidade que nunca houve.

— Pessoas que cultivam proximidade, mas nunca se tornam íntimas.

— Mas fazem questão de dizer aos quatro ventos que são amigas de infância, como você mesma disse.

— Você também costuma ser vítima dessas imposições, Ana?

— Já fui, Sofia. Durante muito tempo vivi para as aparências. Apressava-me a chamar de amigo quem apenas conhecido era. Perdia horas preciosas ao lado de pessoas que não me agregavam, só interessada na repercussão de estar com elas. Hoje, não. Tenho ficado muito atenta ao cansaço da superficialidade. Nos meus dias de folga, eu só saio de casa se for para viver algo que elevará o meu espírito. Só aceito ir aos lugares em que poderei quarar a minha alma. E só escolho estar com pessoas que possam me ajudar a desfazer os nós interiores da dor, da angústia. Pessoas que queiram o mesmo que eu: a evolução espiritual.

— Você se cultiva muito, não é?

— Aprendi a ter respeito por mim. Como já lhe disse, nem sempre foi assim. Fiquei seletiva. Sei que tenho mais passado do que futuro. Eu não quero desperdiçar o tempo que me resta.

— Mais passado do que futuro... Queria ter descoberto isso antes.

— Não importa quando essa lucidez nos ocorre, meu amor. Até na hora da morte nós vamos precisar de bom gosto.

— Como assim?

— Acho patético pensar que eu possa me despedir do mundo usando um pijama horroroso, enquanto umas velhotas cantam desafinadas uma música que elas juram que ajuda a morrer. E, o pior, com uma vela na mão.

— Também acho. Espero que você me livre desse constrangimento.

— Você vai morrer do jeito que quiser, meu amor. E eu estarei aqui para cumprir todos os seus desejos.

— Promete que não serei colocada num caixão do Palmeiras?

— Prometo. Afinal de contas, eu sou corintiana.

— Pelo amor de Deus, não piore a minha situação.

— Se tiver de ser num caixão emblemático, que seja no do Corinthians.

— Não gosto de preto e branco.

— Há uma versão vermelha.

— Ninguém pode descansar em paz numa coisa medonha dessa.

— Fique tranquila. Serão poucas horas. Esqueceu que será cremada?

— Mas a última imagem é que fica. Você nunca mais conseguirá apagar a famigerada imagem de sua amiga num caixão vermelho com o emblema do Corinthians.

— E se eu disser que vou pedir que toquem o hino enquanto o caixão estiver descendo?

— Eu prometo que saio dele e encho a sua cara de tapa.

— Já pensou na música que quer que toque?

— Já.

— E qual é?

— "Resposta ao tempo".[9]
— De Cristovão Bastos e Aldir Blanc.
— Sim.
— *No fundo é uma eterna criança...*

Ana começa a cantar o verso final da música. Sua voz tão cheia de corpo se derrama pelo quarto. Como que movida por um impulso que sopra e desmorona a vergonha que sempre tive de cantar em público, dou continuidade:

— *Que não soube amadurecer...*

Ana não se espanta com minha coragem, embora eu esteja certa de que ela sabia que eu sempre gostei de cantar, mas que jamais me encorajei a fazer isso diante de ninguém. Sempre só para mim, baixinho, para que ninguém ouvisse. Mas agora minha voz é projetada como se eu necessitasse estar à altura de Ana. Ela continua:

— *Eu posso e ele não vai poder...*

O silêncio se impõe. Olho para Ana. Ela tem os olhos fechados. Falta o último verso, o desfecho tão inteligente que Aldir escreveu para a belíssima melodia de Cristovão. Sei que Ana espera por mim. Ela não me diz, mas a simbiose que nos une me permite entender que o desfecho a mim pertence. É minha voz que precisa cantá-lo. E, então, visitada pelo enorme prazer de saber-me eterna para o tempo, e de estar certa de que dele eu me esquecerei, mas ele não poderá se esquecer de mim, permito que minha voz também seja derramada pelo quarto:

— *Me esquecer.*

---

[9]. "Resposta ao tempo", clássico da Música Popular Brasileira, de autoria de Cristovão Bastos e Aldir Blanc, foi gravado por Nana Caymmi, em 1998.

★★★

Mais um dia. Nada altera a rotina do meu corpo. A vida se repete sob a mesma prescrição dos que decidem o meu destino. Acordo por volta das nove da manhã, sou conduzida ao banho, Ana chega, sou colocada na poltrona, tomo café da manhã, almoço por volta das duas horas da tarde, volto para a cama, durmo e acordo antes das cinco, volto para a poltrona, às nove faço a última refeição, Ana me recoloca na cama, durmo imediatamente. No outro dia tudo recomeça. Mas para a alma não existe rotina. Ela não está condicionada pelos mesmos aprisionamentos do corpo.

Há doze dias estou sob os cuidados de Ana. Identifico um lindo itinerário sendo percorrido por mim. São caminhos espirituais, abertos pelas palavras, desbravados por silêncios fecundos. Por eles eu nunca ando sozinha. Ana vai comigo. De mãos dadas, mas às vezes me carregando no colo. Uma amizade terapêutica, capaz de extrair de mim o que precisa ser expulso, mas também restituindo o que em mim é vazio e descampado.

São os ermos da alma recebendo a luz da presença, como se pudéssemos tomar posse dos territórios que antes permaneciam sob o comando dos invasores.

Ana é uma mulher que me coloca na essência. Nunca havia experimentado isso com alguém. Com ela eu me fortaleço para recobrar o direito de ser eu mesma, sem disfarces, sem os fardos das carências que antes me transformaram em minha pior inimiga. Ao me dedicar excessivamente aos outros, cometi um crime grave: deixei de ser minha. Passei anos e anos sem construir momentos em que pudesse ser só para mim. Ainda que por alguns minutos, por algumas horas. Uma vida inteira dedicada ao suicídio de minha essência, abrindo mão de me repatriar, voltar ao centro, depois da doação.

Quando veio o abandono, quando percebi que meus cuidados estavam dispensados pelo homem que tanto amei, eu me vi sozinha, tendo diante de mim um filho que eu só soube amar livremente enquanto esteve à sombra de seu pai. Fiz do meu filho o receptor de minha crueldade, configuração de meus rancores, fruto restado do fracasso de minha dedicação frustrada. Gustavo, meu querido Gustavo, como eu não pude perceber que não era amor o que eu lhe dava? Como não fui capaz de entender que tudo se perde quando há excesso de proteção? Como não pude entender que eu havia transformado o seu rosto no alvo de minha ira? Como não pude identificar que eu havia depositado sobre você a soma de todas as minhas mágoas, interpretando sua presença como o comunicado diário de que eu havia fracassado?!

Tanta revelação num curto espaço de tempo. Tantos descobrimentos! Todos cavados com Ana. A passagem do tempo me ocorre. Já estou uns dias distantes do meu diagnóstico. Faço as contas. Há mais ou menos quinze dias doutor Rogério me disse que eu teria mais algumas semanas de vida. Como quero viver essas semanas? A pergunta me perpassa, viaja pelo meu corpo e brota como se fosse um fruto que não precisa de muito tempo para florescer. Respondo-me: *exatamente como estou vivendo. Sem tirar nem pôr.*

O sentimento que me domina não é de conformidade. Não é resultado de minhas impossibilidades, condicionamento que aprisiona e invalida. Não, o que estou experimentando de mim é inédito e realizador. Estou colhendo um novo jeito de ser eu mesma. E eu não escolheria outro modo de vida se ele me privasse de conhecê-la.

Hoje não há sol. Uma chuva fina e constante aquieta o mundo com sua vestimenta úmida. A janela está aberta e uma brisa fria varre o quarto. Gosto de chuva. Sempre gostei. Tenho a sensação de que purifica o mundo. Em dias de muito calor é como se pudesse ouvir os prédios, as casas, as praças, as ruas agradecendo o descanso térmico trazido por ela.

A entrada de Ana no quarto me traz de volta ao mundo.

— Boa tarde, minha flor de cerejeira!

— Boa tarde, Ana.

— Desculpe-me por não ter vindo pela manhã. Estava organizando algumas coisas.

— Imagina. Mas não posso negar que senti a sua falta.

— Eu também senti a sua, meu amor. Almoçou bem?

— Sim, consegui comer.

— E como passou a noite?

— Dormindo, como se já estivesse morta.

— Que maravilha. Eu sempre penso na morte como um sono profundo e maravilhoso. Daqueles que a gente acorda e desfruta do prazer de sentir-se colada à cama, consciente da maciez do colchão, dos travesseiros, do cheiro bom da roupa de cama.

— Consciente das coisas boas.

— Sim, consciente, porque nem sempre estamos desfrutando da satisfação de não precisar levantar, apreciando aquele momento e desejosa de que ele nunca termine. Assim me imagino morta.

— Na verdade, o sono nos proporciona um morrer temporário. Por algumas horas você se esquece de tudo.

— E como é maravilhoso o ritual que nos permite esse esquecimento, Sofia. Por isso que acho um absurdo economizar no colchão.

— E também nas roupas de cama e nos travesseiros.

— Economia porca, diria minha mãe.

— Verdade.

— Mas diga-me. Está com algum desconforto físico?

— Não, Ana. Às vezes tenho um pouquinho de falta de ar, mas tão logo o diurético entra em ação tudo se resolve. Eu fico muito constrangida é de necessitar de ajuda para tudo. Gostaria de recobrar pelo menos dez por cento da disposição que tinha. Com ela eu já conseguiria fazer muita coisa sozinha, Ana.

— Sofia, eu sei que é difícil. A autonomia é uma riqueza insondável, mas você precisa entender que ela não voltará.

— Verdade.

— É inglório lutar contra o que sabemos que não poderá ser alterado.

— Mas não é fácil conviver com isso, Ana.

— Ninguém disse que é. Por isso é tão importante aprender a receber. Não pode tomar banho sozinha? Pois bem, receba com gratidão a ajuda das pessoas. Modifique o foco. Em vez de colocar atenção na fragilidade que prevalece, prefira observar e agradecer pelas pessoas que estão fazendo por você. Elas não fazem com carinho?

— Muito. Desde que acordei nesta cama, tudo o que tenho recebido vem envolto de muito carinho.

— Pois então trate de celebrar isso.

— Sim, eu preciso aprender.

— Você certamente já ouviu muito a palavra "misericórdia".

— Sim, já ouvi e já falei muito.

— Pois bem, sabe o que ela significa?

— Ter compaixão pelo outro?

— Sim, mas certa vez eu ouvi dizer algo que calou profundamente dentro de mim. Ter misericórdia é sentir com o coração do outro.

— Que lindo isso, Ana. Não ver a dor como um espectador.

— Justamente, meu amor!

— Perceber o sofrimento do outro a partir de si mesmo, como se aquela dor doesse em mim.

— Socorrer no outro como se socorresse em si, estabelecer uma profunda identificação, um vínculo que nos faz viver e sentir, ainda que por breves instantes, com o coração do que sofre.

— Verdade.

— Sofia, é muito confortável experimentar a misericórdia quando somos nós que a oferecemos. Provoca satisfação ajudar, suprir o outro em suas necessidades, oferecer-lhe o que está ao nosso alcance. Mas estar no lugar do que recebe não é fácil. Tendemos a nos sentir diminuídos.

— Não é sempre, Ana. Já estou muito transformada, mas não posso negar que de vez em quando esse sentimento me ocorre.

— Mas não é justo pensar assim. Ser o local que precisa e pede por misericórdia exige muita evolução espiritual, pois nos exige a proeza de redescobrir o sabor da pequenez. Na infância éramos experientes nessa ciência. Sabíamos ser cuidadas. Não é sem motivo. É uma fase em que a consciência da finitude é natural em nós, o instinto que sinaliza o que recebemos como dádiva para nossa preservação. Sem o auxílio dos outros pereceríamos.

— É inevitável o conflito no que se sabe necessitado.

— Justamente. Mas antes não éramos assim. Nunca presenciei um recém-nascido recusar o peito da mãe por orgulho. A fome o determina. O instinto fala mais alto. A receptividade ao cuidado não é uma escolha na primeira infância, mas uma determinação instintiva.

— Não temos escolha.

— Mais que isso. Ainda não temos a inteligência que se antecipa à escolha ao cuidado. Somente mais tarde seremos capazes dela. Mas então descobrimos que ela se torna conciliável com o nosso orgulho. Passamos a chantagear, instrumentalizá-la para obter favores ou despertar preocupações. Tudo porque queremos mais cuidados.

— Não entendi, Ana. Explique melhor.

— É simples. Depois que já podemos escolher sermos cuidados, passamos a fazer, por motivos conscientes ou não, uma manipulação dos que nos cuidam. Por carência, por desequilíbrio emocional, optamos pelo descuido só porque queremos que os outros nos amem mais. Lembra-se da história da filha que adoece para ter a atenção do pai?

— Sim, eu me lembro.

— É uma versão diferente daquela história, mas é um comportamento movido pela mesma necessidade de chamar a atenção.

— Meu Deus, como o ser humano é estranho!

— Estranho demais, meu amor. Mas é muito comum. Muitas pessoas se negam ao cuidado que outras oferecem só porque fazem questão de expressar no rosto as consequências do descuido. É uma forma de ferir e de punir os que nos amam.

— Verdade.

— Adolescentes fazem muito isso. Menosprezam o cuidado que recebem porque julgam merecer muito mais. Vivendo sob a rebeldia do descuido, chamam atenção para si. O aspecto descuidado é apenas um pedido de socorro.

— Acho que fiz isso.

— E nem era mais uma adolescente.

— Não mesmo.

— Não era na cronologia, mas nas emoções. Nem sempre a idade cronológica anda de mãos dadas com a idade das emoções.

— Você tem razão.

— Sofia, como já dizíamos, é provável que seu sofrimento decorrente da separação com Augusto tenha sido alimentado por isso. Ele lhe trazia conforto. Você descobriu que sofrendo você manteria pelo menos um pouco do que você havia perdido: a atenção de Augusto (afinal, você sempre fez questão de que ele soubesse do quanto você estava péssima), mas sobretudo a atenção de Gustavo.

— Sim.

— Você achava que, se refizesse a vida, Gustavo lhe interpretaria facilmente como alguém que já não precisava mais dele. E quem sabe assim se sentiria mais livre para partir.

— Tudo o que eu não queria. Que ele me deixasse sozinha.

— Sua adesão ao sofrimento lhe garantia a vigilância dele. Por causa de sua fragilidade, ele não partia, por mais que desejasse, por mais que lhe pedisse o coração.

— Mas ele foi, Ana.

— Você não sabe, Sofia. O envelope não foi aberto, continua perdido. Você não o leu para saber.

— E isso me tortura profundamente.

— Eu sei. Mas podemos imaginar o conteúdo daquele envelope. Se pudesse escolher, o que mais lhe agradaria?

— Que Gustavo estivesse vivo.

— E assim concluir que ele também a abandonou?

— Não.

— Mas então por que ele iria embora sem avisar? Isso não seria uma forma de abandono? O que sentiria se soubesse que isso aconteceu?

— Uma desolação incomensurável.

— Pior do que saber que ele está morto?

— Não sei dizer.

— Sabe, Sofia, é uma resposta amarga demais para ser sustentada pela boca de uma mãe. Crescemos aprendendo que, entre duas situações como essas, jamais seríamos capazes de escolher a morte de um filho. Trazemos em nós o orgulho sob disfarce. Feriria muito mais saber que ele a abandonou do que saber que ele morreu.

— Eu não consigo admitir isso. É como se estivesse me tornando a pior mãe do mundo.

— Olhe-se nua, Sofia. Sem idealizações. A mulher que hoje está nesta cama não necessita mais de disfarces. Você já está de partida, esqueceu? E não alterará em nada o que penso sobre você. Saber que você escolheria que Gustavo estivesse morto, porque seria insuportável admitir que ele se cansou de você, não torna você um monstro para mim.

— Há verdades que custamos a admitir, Ana. Só de pensar que você possa estar certa eu já me sinto num vale de culpas.

— Eu experimentei um sentimento controverso assim, Sofia. Desejei muito a morte de minha mãe. Mesmo amando-a profundamente. Custei a admitir. Era um sentimento que tentava negar, evitar, mas ele era real. Minha mãe representou muito em minha vida. Nunca foi ausente, sempre muito sensata nas formas e nas proporções com que deveria ser para mim, mas existia entre nós uma disputa velada pelo meu pai, minha grande referência afetiva. Ainda hoje eu não sei explicar a razão. Nem mesmo na terapia eu encontrei respostas. Desde a minha infância, comecei a ter um pensamento recorrente. Eu imaginava que os dois estavam ameaçados de morte, e que eu teria de escolher quem seria salvo. Era sempre ele quem eu resgatava. Minha mãe era muito carinhosa comigo, mas percebia minha preferência por ele. Era discreta nessa sua percepção. Nunca disse nada. Mas eu sei que ela sabia. Era muito astuta, impossível de ser enganada.

— E mesmo assim vocês se davam bem?

— Sim, muito. Tínhamos os conflitos normativos da relação, mas nada de muito significativo. Tudo era muito silencioso nela, ao passo que em mim tudo era gritante. Ela nunca manifestou que percebia minha preferência por ele. E eu nunca fui capaz de esconder isso. Meu amor por meu pai sempre foi à flor da pele, mas por ela, não.

— Interessante você ter essa clareza. Geralmente temos dificuldade de lidar com os sentimentos que envolvem nossos progenitores.

— Ah, minha querida, você não imagina o quanto eu precisei chorar diante do espelho para alcançar esse esclarecimento. Você não calcula quantas estradas íngremes eu precisei andar dentro de mim para ter coragem de dizer o que agora lhe digo.

— Acredito. Não é fácil administrar nossas mazelas emocionais.

— Não é mesmo.

— Por que será que somos assim?

— Não sei, talvez porque o sentimento more ao lado da mentira.

— Sim, é aquela máxima: *nem tudo o que sentimos é verdadeiro.*

— Os sentimentos mentem, Sofia. Olhe para sua vida e certamente poderá pinçar diversas situações em que você se deixou guiar pelas mentiras que eles lhe contaram.

— Sabe precisar um momento em que isso lhe ocorreu?

— Claro! Por ser muito impulsiva, coleciono inúmeras ciladas causadas por eles. Um exemplo simples. Cecília é a melhor amiga que tenho. Crescemos juntas, nos casamos na mesma época, nossos maridos sempre foram grandes amigos, somos vizinhas, enfim, uma vida inteira lado a lado. Sei que Cecília também me considera sua melhor amiga. Uma bobagem isso, não é?

— O quê?

— Essa pretensão de que temos régua para medir o amor, e que seja possível dizer quem é quem no pódio dos sentimentos.

— Sim, mas mesmo assim o fazemos.

— Pois então. Cecília tem outra grande amiga, Laura, que trabalha com ela há mais de vinte anos.

— E certamente você tem ciúmes da amizade entre elas.

— A senhora agora pretende me matar com a faca sem cortes da cozinha?

A voz alterada de Ana me faz rir. Um rompante espontâneo, inesperado, proporcional à sua grandeza de alma e senso de humor. Ana me acompanha. Eu com um riso doído, causado pelo movimento que para o meu corpo é demasiado, mas para o dela, não.

— Não, pelo amor de Deus, longe de mim querer ser assassina no final da minha vida.

— Pois bem, voltando à amizade entre elas... Quando Cecília começou a ter esse novo vínculo, cismei que ela estava me desprezando. E então fiquei agressiva com ela. Coloquei na cabeça que eu estava sendo trocada pela tal da Laura, e que meu espaço na vida dela fora drasticamente estreitado.

— Mas ela agiu diferente com você após começar a nova amizade?

— Não, claro que não. Só que o meu sentimento me dizia o contrário. Hoje eu estou esclarecida sobre isso, mas, àquela época, eu jurava de pés juntos que Cecília estava me desprezando.

— E você dizia isso a ela?

— Claro, meu amor. Você acha que Ana Flores perde a oportunidade de arrumar um drama?

— E como Cecília reagiu?

— Achou estranhíssimo, claro, mas teve muita paciência. No início eu comecei a evitá-la, como se quisesse confirmar o que eu estava sentindo. Ela me ligava e eu não atendia, enviava mensagem e eu não respondia. Fazia tudo isso para que ela deixasse de me procurar, e então constatar que eu tinha razão. Mas ela não caiu no jogo. Um dia ela foi à minha casa, sentou-se comigo e me deu uma lição de maturidade.

— O que ela fez?

— Calma, que mulher apressada, gente!

— Eu estou morrendo, esqueceu?

— Mas justamente agora?

— Nunca se sabe. Posso apagar repentinamente.

— Eu lhe daria um tapa na cara só para você reviver e ouvir o fim da história.

— Então se apresse.

— Ela olhou para mim e me disse: "Você vai permitir que entre nós se estabeleça uma distância só porque você está acreditando na mentira que você contou para si mesma?".

— Pronto. Ela, sim, matou você com a faca sem corte da cozinha.

— Justamente. E com um golpe violento na jugular.

— Sem dó e sem piedade. Mas resolveu?

— Sim. Foi impressionante como aquela fala de Cecília me acordou para a realidade. Naquele momento eu percebi que ela tinha razão. A sua chamada de atenção me fez perceber que eu era a responsável pelo sentimento que estava nos afastando.

— Abrindo mão de uma pessoa que você já tinha identificado essencial em sua vida.

— Sim, a amiga que desde sempre eu amei, que cresceu ao meu lado, que chorou e se alegrou comigo estava sendo vítima de um sentimento que não correspondia à realidade. Não era verdade o que eu sentia. Não fazia sentido eu negar à vida uma oportunidade de desmascarar o meu sentimento.

— Às vezes só o tempo nos mostra.

— Quase sempre, meu amor, quase sempre.

— E, às vezes, de uma forma muito cruel.

— Sim, ele não costuma perdoar nada. Mas a fala de Cecília correu pelas minhas veias e atingiu, não o meu coração, pois ele continuava enciumado, mas chegou ao meu cérebro, casa onde aquele sentimento era gestado. Eu concluí que precisava mudar a minha maneira de pensar, pois o meu pensamento estava forjando um sentimento mentiroso. E o ciclo vicioso me engolia, me privava de reconhecer o meu equívoco. Cecília e eu continuávamos sendo amigas, e eu precisava permitir que a razão colocasse os pingos nos is.

— Que interessante, Ana. Um sentimento equivocado pode provocar muitos estragos.

— Sofia, eu aprendi muito com aquele episódio. Todo ser humano é o resultado da interação de três instâncias: *o pensamento*, *o sentimento* e *a fala*. São elas que nos regem. Delas se desdobram nossas ações. Agimos a partir do que pensamos, sentimos e falamos. Observe-se. Você sempre se expressa a partir dessas três interações. O que você pensa, o que você sente do que pensa, e o que fala do que sentiu e pensou.

— Sim, é verdade. E nem sempre ficamos atentos ao quanto essas instâncias estão interligadas.

— Com certeza não, caso contrário sofreríamos bem menos com os equívocos que o pensamento impõe aos sentimentos.

— Verdade. As emoções precisam ser submetidas ao tribunal da razão.

— E foi isso que eu aprendi a fazer a partir daquele episódio de ciúme. Foi um aprendizado com poder de retroação. Olhei para o passado e pude rever todos os relacionamentos que me despertaram ciúme, buscando entender se o sentimento tinha associação com a verdade ou se era fruto de um pensamento equivocado. É claro que eu descobri que em alguns momentos da minha vida eu verdadeiramente fui enganada, trocada, traída. O sentimento não mentiu, tinha amparo na realidade, fez sentido, pois estava confirmado pelos fatos. Um sofrimento com razão.

— É interessante como nós precisamos desses esclarecimentos, mesmo que tardios. Recuar no tempo e reinterpretar o que vivemos. É bom a gente saber se teve ou não razão.

— Ah, sempre que posso eu faço a revisão. Eu gosto de me conhecer, Sofia. Não se trata de ficar revirando o baú do passado, tampouco reabilitar o tempo que não me pertence mais. Quero ir além. Meu intuito é dissolver minhas mágoas, encaminhá-las ao departamento de pessoal para que sejam demitidas. Quero perdoar se for preciso, retirar do limbo os que merecem ser lembrados e reinterpretados, mas também abandonar no breu do esquecimento os que não quero mais levar comigo.

— O autoconhecimento é tão libertador! Ele qualifica a nossa vivência.

— Muito. É por meio dele que nós tiramos a poeira da alma. Com ele alcançamos um olhar delicado e apurado sobre nós. Sem disfarces, sem engodos, sem falseamentos. Sem exagero e sem subestimação.

— Uma nudez necessária que todo mundo deveria ter coragem de viver.

— Sim, mas um despir que não nos envergonhe. Por isso precisamos educar o olhar. É importante que a gente deixe de se idealizar. Para que a nudez não nos envergonhe.

O olhar que nos dedicamos pode tanto nos condenar como nos salvar. Não é o olhar do outro que me determina. Preciso minimizar o quanto ele me invade. Ele só pode ser complementar. A maneira como me olho e me interpreto é a mais importante. Somente depois do que já interpretei em mim é que recebo as interpretações alheias, que podem ou não fazer sentido.

— O primeiro olhar sobre nós deve ser o nosso.

— Sempre. E, para que ele seja assertivo, livrando-me dos equívocos, preciso me autoconhecer. Quanto mais eu me disponho a experimentar essa busca, Sofia, muito mais eu desfruto da lucidez que a dinâmica da vida interior me concede.

— Ana, sei que você já falou algumas vezes sobre Deus, mas você acredita Nele?

— Depende.

— Como assim?

— Depende de como você compreende a crença em Deus.

— Sei que você hoje não segue mais uma religião. Por que deixou de ser cristã?

— Não acho que eu tenha deixado de ser cristã. Carrego comigo todos os ensinamentos de Jesus. Honestamente, preciso confessar que não me sinto mais católica, pois não frequento, não pratico. O budismo me trouxe práticas saudáveis, estímulos que eu não havia descoberto no catolicismo. Budismo não é religião. Não tem estrutura dogmática. É um estilo de vida. E me fez bem.

— Mas o que a fez ficar desiludida com o catolicismo?

— Porque identifiquei que todo aquele ritual religioso me cansava, não repercutia em minha alma. Eu saía de casa em busca de uma palavra, de um lugar que me colocasse dentro de mim, de uma oração que pudesse repercutir na minha alma, mas não conseguia encontrar. Passei a querer mais a quietude.

— Mas a igreja que você frequentava não lhe proporcionava isso?

— Quietude?

— Sim.

— Meu amor, era um lugar tão tumultuado como todos os outros lugares dispersos que há pelo mundo. As pessoas falam muito. E falam alto. Entram na igreja e não conseguem perceber que a proposta daquele ambiente é outra. Não há uma postura respeitosa que permita o andar por dentro de si. Não há silêncio. O rito, do início ao fim, é repleto de repetições, músicas ruins, mal tocadas, mal cantadas. Não há respeito pelo silêncio. Esqueceram que ele também é linguagem e absolutamente necessário ao rito religioso. Não se favorece às almas que ali estão o deleite que tanto buscam e de que necessitam.

— Eu também sentia o mesmo. Quando era menina, eu ia com meus pais. Era diferente. Os lugares sagrados eram mais preservados. Tenho saudade daquele tempo. Das procissões, das missas, das orações que fazíamos em casa. Concordo com você. Estamos privados cada vez mais de deleite espiritual.

— Por isso tantos vícios, tantos formatos estranhos de entretenimentos. Festas regadas a drogas e álcool, que duram dias. Pessoas entorpecidas durante horas, vivendo numa promiscuidade sexual e emocional absurdas, sem nenhum respeito à dignidade do corpo e da alma.

— Verdade. Uma música que parece uma batida de martelo, pronta para furar o cérebro.

— Sim, intencionalmente programada para ser uma frequência que provoca uma espécie de adormecimento cerebral que prejudica a capacidade de decisão das pessoas.

— Já ouvi falar sobre isso. Que as músicas influenciam profundamente o nosso sistema cerebral.

— E como influenciam, Sofia. Às vezes chego em casa, cansada, e com a sensação de ter varrido sozinha as estradas que ligam São Paulo ao Acre, morta, incapaz de ler um recado na geladeira. Se alguém me fizer uma única pergunta eu sou capaz de esfaquear a família inteira, incluindo o Cornélio Tadeu.

— Quem é Cornélio Tadeu, Ana?

Pergunto segurando a barriga para amenizar o desconforto que o riso me traz.

— Um bendito papagaio que pertenceu à minha vó. O bicho já enterrou a velhota, já pisoteou a sepultura de minha mãe, e ainda está lá, o ordinário. Recebi de herança. Uma casa na praia ninguém me deixa, mas um bicho que fala dia e noite... ah, isso, sim, sobra pra mim. Não tem uma cólica renal o infeliz. E o que eu faço? Entro no meu quarto, tomo um banho, apago a luz, acendo meu aromatizador com essência de lavanda, pingo uma gotinha no pulso, ponho meus fones e coloco para tocar uma playlist maravilhosa que acalmaria até a Dercy Gonçalves, no auge de uma discussão.

— Que coisa maravilhosa, Ana. Você não existe!

— Existo, meu amor. Tanto é que estou aqui, feliz por senti-la existindo também.

— Obrigada por estar.

— Estou porque quero estar, Sofia.

— Obrigada.

— Sabe quando eu assumi esse hábito?

— Quando?

— Depois que mamãe morreu. A morte dela causou uma transformação significativa em mim. Lembra que eu disse que desejei a morte dela? Aliás, era sobre isso que eu deveria estar falando. O assunto foi desviado completamente.

— Não importa. Tudo foi válido. E, afinal de contas, não estamos com pressa.

— Uai, não foi você quem agora há pouco disse que estava morrendo?

— Pois é, a prosa está tão boa que eu acabei me esquecendo da morte. Você está fazendo comigo o mesmo que Cartola faz ao seu pai: me ressuscitando.

— Ah, que coisa mais querida!

Ana levanta-se, aproxima-se de mim e me dá um beijo na testa. É a primeira vez que alguém me beija nos últimos dois anos, desde o desaparecimento de meu filho. Suas mãos se apoiam delicadamente sobre meus ombros. Agora seu olhar está nos meus. É bonito perceber como ela me olha. Uma ternura que parece nunca ter tocado a maldade humana. Ana é translúcida. Como uma fonte de água que ainda não andou atrás de rios.

— Sofia, você também me ressuscita.

— Quem me dera, Ana. Eu nada tenho de bom para lhe oferecer. Sou uma mulher em estado final, amarga, que se tornou casa da ingratidão e hóspede da tristeza. Você não merece receber nada de mim. Tudo o que tenho para lhe dar só lhe faria mal.

— Não é verdade, Sofia. E, para perceber que não é verdade, basta não dar atenção a esse sentimento que lhe faz pensar assim. Ele está mentindo para você. Há muito tempo você anda acreditando na mentira que ele lhe conta. Você não é uma mulher infeliz. Você não é prisioneira da infelicidade, tampouco é a casa da ingratidão, como você julgou ser durante tanto tempo. Você pode até ter se rendido temporariamente a esses sentimentos, mas eles não a definem. Essa Sofia que você se tornou precisa morrer antes de você. Nós precisamos puxar o cordão que trará de volta a Sofia essencial, aquela mulher que você era antes de ser machucada pelas perdas. Há uma morte a ser vivida antes, minha amiga.

Choro. Há tanta razão em tudo o que Ana diz. Eu me tornei quem não sou. Sempre fui uma mulher forte, apta às iniciativas que geravam soluções. Eu me entreguei ao ermo dos caminhos. Perdi-me de mim. Fui esquecendo minha força porque fui acatando as imposições da mágoa. E, como se estivesse pensando junto comigo, Ana continuou dizendo:

— A mágoa a enfraqueceu, Sofia. Você a aceitou sem lutar contra ela. Vestiu-se com ela, fez dela sua tutora, passou a interpretar que a vida tinha uma dívida com você. E por isso nunca mais quis fazer as pazes com ela. Tão logo o seu marido foi embora de casa, todas as suas atitudes passaram a transpirar mágoa. Sim, Sofia, nós nos derramamos naquilo que fazemos. Tudo passa pelo que somos. Nossos gestos, nossas palavras, nossos pensamentos. E tudo em você estava impregnado de mágoa. Seu amor por Gustavo era magoado. Nem a ele, seu único filho, você conseguiu oferecer água pura. Havia sempre um desconsolo em seus olhos. Sua doação a ele estava sempre magoada. Fazia, mas esperando algo em troca, como se Gustavo tivesse se tornado o responsável pela dívida que a vida tinha com você. As cobranças eram muitas. Feito o agente que bate à nossa porta várias vezes ao dia porque quer receber. Mas depois o seu filho desapareceu. O menino ao qual você tentava ressarcir o prejuízo se foi. Desde então você passou a buscá-lo. Mas também de forma magoada, ressentida. Interpretou o acontecimento sob a lente do vitimismo. Eu sei que é cruel continuar a vida tendo um filho desaparecido, mas você escolheu a pior forma: sentindo-se injustiçada, obcecada por encontrá-lo. Mas não para ser feliz ao lado dele, e sim para continuar tendo alguém que lhe abrisse a porta para receber sua cobrança. Você desejou que o seu filho retornasse por isso, Sofia. É claro que você o ama, que você o quer, mas tenha coragem de reconhecer que, antes do sentimento puro do qual você é capaz, há outro que foi intoxicado pela rejeição de Augusto. Até para reencontrar Gustavo, minha amiga, você precisa morrer antes. Não a Sofia que o deu à luz, mas aquela que ficou em casa quando Augusto fechou a porta e se foi para viver com outra. Você terá de olhar novamente para aquela porta, meu amor. Para que os seus olhos encontrem a única pessoa que é capaz de expulsar a invasora: você mesma. A Sofia real, essencial, e que foi expatriada pela Sofia casa da ingratidão, hóspede da tristeza.

Estou desnuda. De repente, como se estivesse diante de uma multidão, sem nenhum disfarce para a minha nudez. Tudo tão claro, mas tudo tão difícil de reconhecer. Ana tem razão. Fez a leitura de algo que eu nunca fui capaz de compreender. O meu amor não era amor. Ou melhor, o amor que sentia foi maculado pelos deságues imundos das mágoas. O manancial de minha capacidade de amar foi poluído pelos dejetos dos sentimentos que não purifiquei.

— Sim, Ana, você tem razão em tudo o que disse. E eu quero sepultar esse espectro que criei de mim. Assim como gostaria que vivesse a Sofia que sou, a que abandonei pelo caminho, quero ver morrer a Sofia que me tornei. Para retornar ao prazer de ser eu mesma, ainda que por algumas poucas horas.

— E eu estou aqui, Sofia. Já estou ajudando-a neste parto. Ele teve início no momento em que nossas conversas favoreceram o florescimento da verdade. Nós não vamos perder esta batalha. Aliás, eu não estou aqui para outra coisa. Eu quero ajudar a morrer as duas.

— Obrigada.

— Eu seria capaz de mover o mundo para que uma delas não morresse.

— Eu sei.

— Mas não posso. Pois então faço questão de ajudar a sufocar a intrusa, a que nunca deveria ter nascido, a que não merece existir.

— Eu também.

— Eu sei que me despedirei, com profunda tristeza, da mulher grandiosa que está aqui, escondida, diante de mim.

— Obrigada, Ana.

— Nada a agradecer. E agora as duas Sofias precisam dormir. A nossa conversa a desagastou.

— Estou cansada, mas me sinto leve.

— Depois da leveza de um choro, um bom sono pesado é complemento.

A tarde passou sem que eu percebesse. O tempo só é notado quando não estamos em nós. O viver na essência é a forma mais eficaz de vencer a batalha contra o tempo. Já é noite. Ana me beija a testa novamente, faz um carinho em meu rosto, pega sua bolsa, apaga a luz e se vai. E eu fico. Como nunca havia ficado. Sabendo-me duas.

★★★

Acordo, mas ainda é madrugada. Não sei que horas são. Por que importaria saber? Nada nem ninguém espera por mim. A certeza proeminente da morte modifica minha relação com o tempo. Já não tenho mais compromisso com as horas. O todo do mundo não me pertence mais. O que tenho dele é uma exígua parcela. Essa consciência me coloca diante do tempo perdido. Antes eu poderia comprar uma passagem aérea, cruzar os oceanos, chegar a um lugar estranho e ali ficar sob a doce e subversiva proteção do anonimato. Dinheiro e tempo não me faltavam. Poderia ter feito, mas não fiz.

Vivi adiando a minha ida aos fiordes da Noruega e da Dinamarca, meu grande desejo, aquele que a todos os outros antecedia. Finalmente a havia marcado. Realizaria com Augusto e Gustavo. Seria nossa viagem de férias. Não deu tempo. O rompimento aconteceu quinze dias antes. Passagens compradas, hotéis agendados, roteiro pronto, mas o pacote ficou espremido num envelope na primeira gaveta da cômoda. Ainda não tive coragem de destruí-lo. Seria o mesmo que desistir da possibilidade de um retorno. Portas escancaradas, perdão na ponta da língua, braços estendidos dizendo o mesmo que a boca, enquanto o homem reencontra o que nunca deixou de ser seu: casa, mulher e filho.

Perder não é um verbo fácil de ser conjugado. Ele se desdobra em tantas outras dores. Perde-se muito num ser humano só. O amor dissolve o egoísmo da singularidade. O ser indiviso se concede ao outro, abre mão de si para que prevaleça do outro o desejo. Fazia questão de ser sempre *com* eles, *por* eles, *entre* eles. A vida me levou o direito às preposições inclusivas. Elas me alegravam, derramavam sentido sobre meus dias. Nenhuma entrega nos pesa quando estamos sob o efeito da gratidão.

Quando Augusto disse que precisava falar comigo eu jurava que seria o desvelar de alguma surpresa preparada. Seria meu aniversário na semana seguinte. Ele ligou do hospital e perguntou se eu estaria em casa. Disse que sim. Achei estranho, pois eu sempre estava em casa esperando por ele. Quando entrou, nenhum protocolo de preparo foi considerado. Disse-me sem rodeios que iria embora de casa. Pensei que estivesse brincando. Eu ri, ele pediu que não brincasse com o que para ele era tão sério. Falou pouco. Não escondeu nada. Disse que estava apaixonado por outra mulher e que não seria justo deixar de viver o que pretendia. Eu nada disse. Não que não tivesse o que dizer. Fiz o silêncio que a dor provoca. O embrulho do estômago que bloqueia toda e qualquer tentativa de dizer. Dentro de mim tudo gritava. Todas as indignações percorriam as minhas veias, mas o meu corpo não conseguia manifestar nem um centímetro do mar bravio que em mim se quebrava. E, então, como se percebesse que eu nada podia dizer, olhou-me com o raso dos olhos, avisou que não me deixaria sozinha na educação do Gustavo, e que iria até o quarto pegar suas coisas, pois já queria passar a noite na vida nova que escolhera.

Sem sentir o chão sob os pés, permaneci no mesmo lugar. Depois de um tempo, que até hoje eu ainda não sei mensurar, ele passou pela sala carregando suas malas. E, sem colocar os olhos em mim, disse-me secamente: "Já vou indo!".

Eu continuei sem conseguir dizer. Olhando para o chão, ele colocou a mão sobre a fechadura da porta da sala. Em silêncio, como se me oferecesse o último direito de fala. Eu não o exerci. Depois, fez vagarosamente o movimento de giro, abriu a porta e saiu.

Tão logo o seu corpo desapareceu, soltei o meu no sofá e ali passei a noite. Gustavo já estava dormindo e não viu nada do que aconteceu. No outro dia, quando Noêmia chegou, encontrou-me na mesma posição em que estava. Ela me perguntou o que estava acontecendo, mas não respondi. Eu tinha os olhos fixos na porta. Ela certamente deve ter ligado para Augusto e dele recebeu o comunicado. Noêmia encarregou-se de suprir as necessidades de Gustavo. Ele já frequentava a escola. Ao final do terceiro dia, depois de meu absoluto silêncio, praticamente sem comer, sem beber e sem tomar banho, uma vizinha entrou em minha casa, trazida por Noêmia. Eu continuava sentada no sofá, como naquele dia. Noêmia contornava para que Gustavo não me procurasse. Quando vi o rosto da vizinha, a mulher de quem sequer conhecia o nome, a estranha conhecida com quem de vez em quando eu cruzava pela rua, comecei a gritar e a chorar descontroladamente. O estado catatônico terminou ali. Ela me abraçou e me disse: "Chora, querida. Chora tudo o que você precisa chorar. Tudo vai ficar bem!".

Duas impossibilidades em suas palavras. Nunca consegui chorar tudo o que precisava, e nunca mais ficou tudo bem.

As lembranças me chegam. São como um rio em eterno retorno. Um devir que sempre me traz detalhes que estavam esquecidos ou que nunca consegui esclarecer. O remanso dos fatos ainda me fere, mas não como naquela hora. Uma dor profunda me consome, ara minhas carnes, rasga fendas no meu corpo emocional, mas de um jeito novo, consciente, como se fosse a dor já compreendida, sem os acréscimos que o não entendimento lhe conferia.

A dor me dói de uma forma diferente. Além da compreensão adquirida, sinto que há outro elemento. Sei que muito em breve ela não me incomodará mais. Estarei desfeita. A morte me concederá o descanso que tanto quis.

Eu, que tanto esperei que a porta fosse reaberta por ele, agora estou aqui, sabendo que a espera terminará. Isso alivia-me, consola-me. Quem me diz isso é a Sofia mais sábia, a que agora acolhe a Sofia, casa da ingratidão. Estou ficando encantada em saber que a desmineralização me espera. A redução que me permitirá ser levada pelo vento, o morrer que me devolverá ao silêncio, à origem, ao meu estado semente, quando o meu ser desconhecia a dor das angústias.

Serei levada ao fogo e por ele. Tudo o que desta matéria sofreu será reduzido a pó. Serei poeira. De acordo com o pensamento de alguns cientistas, semelhante à das estrelas.

Tudo em mim flui num breve conforto de morrer. A leveza me visita. O sono também. Um cansaço bom que me permite identificar o conforto da cama. Os lençóis limpos, o cheiro bom do cobertor, o quarto em penumbra, um misterioso cheiro de lavanda vindo de algum lugar. Volto os meus olhos para a mesa do canto e lá está o responsável. Um difusor iluminado de azul-clarinho, um azul quase partindo, desmaiado, levemente permeado por uma bruma delicada. O rosto de Ana me vem à mente. Sei que aquele objeto é fruto de sua delicadeza. Uma alegria contida mas profunda me ocorre. Tudo me lembra ternura, maternidade, colo de Deus. Como dizia Mario Quintana, "tão leve estou que já nem sombra tenho".[10]

Durmo novamente.

★★★

---

10. Verso que está no livro de Mario Quintana, poeta gaúcho: QUINTANA, M. *A rua dos cataventos*. São Paulo: Globo, 2005.

Acordo com um grande movimento no quarto. Percebo que ainda é cedo, mas Ana já demonstra uma disposição de quem parece estar acordada há horas. A tudo comanda como se fosse a proprietária do hospital.

— Hora do banho, lindeza. E sem preguiça porque hoje teremos mudanças.

— Mudanças?

— Sim, a direção do hospital me autorizou a transferi-la para outro local. Uma casinha simpaticíssima que fica fora do hospital, mas num local que a ele tem ligação. Era usada pelo antigo diretor. Ele não era daqui. Vinha para ficar três ou quatro dias. A casa lhe servia como residência. Como o novo diretor mora na cidade, ficou desocupada. Vamos para lá. Tenho certeza de que você vai adorar. Não tem cara de hospital.

— Não é possível!

— Sim, é possível. As meninas vão ajudar você no banho. Enquanto isso eu vou só conferir se tudo o que precisamos já está por lá. Não queremos você distante do instrumental necessário, caso tenhamos alguma urgência.

— Obrigada, Ana.

— Já volto.

— Eu aguardo.

— Mas é claro que você vai me aguardar. Você não poderia chegar nem na porta do hospital com essa cara de jaca que levou uma surra.

O riso é inevitável. Se ouvisse isso de outra pessoa, é certo que ficaria ofendida. Mas vindo dela, não. O pouco tempo ao seu lado já me fez saber que tudo o que ela me oferece já foi passado pelo filtro do amor. Vou para o banho. A água que cai sobre o meu corpo parece ultrapassar a minha pele, correndo pelas minhas veias, lavando-me por dentro.

Eu estou surpresa e feliz. Mover-me numa outra direção, ainda que mínima, já enche meu coração de novo ânimo. Até então eu achei que morreria aqui, mas agora não; ainda terei a oportunidade de fazer a minha última mudança.

Saio do quarto na cadeira de rodas. O corredor é largo e muito limpo. O silêncio só é quebrado por falas esporádicas e distantes. Aos poucos vou me distanciando do quarto. Não sei o que encontrarei, mas sei bem o que deixo. É bom deixar. É bom sentir-me longe daquelas paredes tristes. Andar por este corredor, ainda que conduzida numa cadeira de rodas, já é muito bom. A imobilidade é torturante. Há um vento fresco varrendo tudo. Fecho os olhos. É bom senti-lo, como se varasse minhas carnes, arejando-me, devolvendo-me uma breve sensação de voltar a ser livre.

Saímos da área do hospital. O enfermeiro me conduz por uma calçada que margeia um grande jardim interno. O lugar é bonito. Em nada me recorda o prédio por dentro.

— O que é aqui?

— Aqui funciona o refeitório dos funcionários, parte da área administrativa e a capela ecumênica.

— Que jardim bonito!

— Sim, muito bonito. Perto da casa da senhora tem uma gruta de onde cai uma cascata constante. Um barulhinho bom para dormir.

— Que bom!

"A casa da senhora." Que delicadeza de Ana. Conceder-me neste momento o direito de ter uma casa com jardim e cascata que corre ao lado. O ar fresco me faz bem. O sol está calmo. Ele ainda reúne forças para ganhar o centro do céu. Gosto assim, quando ele ainda não arde, como se estivesse acendendo a caldeira.

Enquanto vou sendo conduzida fisicamente, outro caminho eu vou andando, mas dentro de mim. Recordo-me de minha mãe. Se estivesse viva, certamente estaria aqui, ao meu lado, assegurando que tudo ficará bem, mesmo sabendo que não é verdade o que diz. Ela sempre foi assim. Amenizava o sofrimento de todos com frases mentirosas, mas tão envolvidas de carinho que não nos sentíamos encorajados a contestá-las.

A cadeira para. Abro os olhos. O portão está aberto. É uma casa térrea que fica ao fundo do jardim. Não posso acreditar no que vejo. A casa tem alpendre. Nele Ana está. Um sorriso iluminado mas silencioso. Eu me aproximo. Vejo que ela está chorando. Choro também. Ela me abraça. O mistério da amizade nos entrelaça. Sei que ela está sentindo comigo. Essa certeza me faz querer o pouco da vida que tenho. Não quero desistir. Sorverei dignamente até a última gota do cálice.

Recordo-me do que estou sempre me dizendo, desde que soube que estou morrendo: *Eu não me engano. Até para morrer a vida nos pede competência.* E Ana está me capacitando para o enfrentamento final. A hora da essência. Estou vivendo o movimento que me faz debruçar a toalha branca sobre a mesa, preparar o banquete, reunir os convidados. Minha última ceia, a travessia do deserto que me faz acessar o meu coração, sem os disfarces assumidos.

— Esta é sua casa, minha amiga Sofia.

Estou sem condição de dizer. Um aperto na garganta me priva da palavra. Ana percebe a minha mudez. Aproxima-se. Segura minhas mãos. Seus olhos alcançam o dentro de mim. O nó se desfaz.

— Posso dizer que é nossa?

— Sim, como é que sabe?

— Sei o quê?

— Que pedi licença da pertença familiar para ficar uns dias com você.

— Não acredito!

— Pois acredite, querida. Trouxe até carta de agradecimento de todos. Eles não me aguentavam mais.

— Ana, nem sei o que dizer.

— Então não diga. Já tem gente demais que não tem o que dizer dizendo. Está preparada?

— Para conhecer a nossa casa?

— Sim.

— Pois então vamos entrar.

Ana passou a conduzir a cadeira. O alpendre é comprido, tem alguns móveis bonitos e está repleto de plantas. Tão logo eu avisto a sala, o meu coração dispara. Ana avança com a cadeira e para. Agora estou na entrada da sala, mas de uma maneira que o meu olhar alcança o todo. Eu não posso acreditar. Peço a ela que me aproxime mais do sofá. Ela o faz. Toco-o. Reconheço-o. Ana pega uma das almofadas e me dá.

— Bem-vinda aos seus significados, Sofia!

Choro. Muito. Mas não choro só. Ana chora comigo. Abraço a almofada e o cheiro da minha vida me invade a alma.

— Obrigada, meu Deus!

— Venha ver o quarto, Sofia.

Entro no quarto e lá está a minha cama, as minhas duas mesas de cabeceira e a minha cadeira de leitura. A roupa de cama de que tanto gosto, minhas toalhas, meu travesseiro.

— Foi só o que deu pra trazer, minha amiga.

— Mas é só do que eu preciso, Ana. Obrigada.

— Mas venha ver a cozinha. Estou com fome e o café da manhã já está servido.

— Oi, dona Sofia, que saudade!

É Noêmia, a funcionária que trabalhou comigo durante dez anos. Deixou de trabalhar porque se aposentou e decidiu que cuidaria dos filhos.

— Noêmia, o que você está fazendo aqui, criatura?

— Uai, dona Ana me achou e contou o que a senhora está passando. Aí eu vim ficar uns dias. Se a senhora quiser, é claro.

— Como não haveria de querer, Noêmia. Sinto tanta saudade de você. Desde que foi embora eu nunca mais quis ninguém trabalhando lá em casa, você sabe.

— Eu sei.

— E você continua morando no interior com seus pais?

— Continuo.

— Mas como é que você largou tudo para vir, menina?

— Se eu soubesse estaria aqui muito antes, dona Sofia! Agora veja o que eu preparei. Tudo o que eu lembro que a senhora gosta. Bolo de cenoura com cobertura de chocolate amargo, rosquinha de nata, biscoito de canela e café com leite.

— E se eu não tiver uma parte nessa herança, meu amor, eu quebro as duas na pancada!

— Misericórdia!

— Não se assuste, Noêmia. Ana é assim.

— Deus me livre, dona Ana. Eu mal cheguei e a senhora já está ameaçando de me quebrar na pancada? Tá repreendido!

— É só não me deixar fora do banquete, meu amor!

— Ana, Ana, você não existe.

— Você merece muito mais, minha amiga.

— Obrigada!

— Chega de conversa, vamos comer!

A mesa está posta. Ela estabelece uma ponte com minha casa. A toalha de linho bordada, os talheres, as louças, Ana trouxe parte do meu mundo e o acomodou aqui. Noêmia preparou um café da manhã como no passado. Sei que não posso muito mais que provar, mas o faço. O cheiro bom de café desperta o bom da infância, o tempo em que a orfandade imperava sobre mim. Bebo um gole. Deixo mais tempo na boca. Já que será pouco, que seja apreciado com vagar.

— Como foi que fizeram para trazer tudo isso?

— Contratei um serviço de mudança, descobrimos o paradeiro de Noêmia, pegamos as chaves de sua casa, fomos até lá e trouxemos. Até cogitamos em levar você, mas seria irresponsável de nossa parte. Aqui nós temos muito mais recursos e serviços. Além do mais, teríamos que fazer uma obra para adaptar banheiros, portas, e julgamos inconveniente. Melhor ficarmos aqui. Perto dos médicos, das enfermeiras e dessa cascata linda que dá para ouvir daqui.

— Ana, você não pode imaginar o quanto isso me fez feliz.

— Eu sei. Está escrito nos seus olhos.

— Ah, trouxemos também roupas, chinelos, sapatos e maquiagem. Nada de pijamas o dia inteiro e essas meias de jogador de futebol. Pelo amor de Deus, nem a morte vai lhe querer nesses trajes.

Noêmia ri e tenta disfarçar para que eu não perceba.

— Noêmia, ria à vontade. Ela já falou coisas piores para mim. E certamente não parará por aqui.

— Noêmia, depois vamos fazer umas fofocas. Quero saber tudo o que ela me escondeu.

— Pode deixar, dona Ana.

— Dona? Está ficando louca, meu amor. Sou mais nova que você. Ana e só.

— Tá certo, dona Ana!

— Mas, gente, me chamou de dona novamente?

— Desculpa, dona Ana. É o costume do interior.

— Desista, Ana. Noêmia só me chamava de dona e Augusto de doutor. É uma causa perdida.

— Não perco, meu amor. Até amanhã Noêmia já perdeu esse costume.

— Não é, Noêmia?

— Uai, dona Ana, quem sabe!

A risada de Ana espalha-se pela casa inteira. É ainda mais intensa, já que não está mais cerceada pelo silêncio exigido no hospital.

— Venha comigo. Trouxemos o secador de cabelos do seu banheiro. Vamos escovar essa juba. Mais um pouco e você não passa na porta com essa cabeleira desgrenhada. Mas, antes, a minha cabeleireira vai cortar e retocar a cor dos seus cabelos. Os médicos me autorizaram uma tintura que quase não tem química. Não vai prejudicar você em nada.

Começo a rir. O riso vai aumentando. Vou perdendo o controle. A barriga dói. As lágrimas vão escorrendo pelo meu rosto.

— Você está rindo de quê, criatura? Quero rir também.

Não consigo falar. Ana me acompanha mesmo sem saber o motivo. Enquanto eu rio do motivo que só eu conheço, ela ri de mim.

— Conta pra mim! O que aconteceu? Noêmia, venha aqui.

— O que que foi, dona Ana?

— Já falei que não sou dona Ana, gente. Que inferno!

— Desculpa, dona Ana!

— Descobre o que foi que aconteceu que esta aqui não para de rir.

— O que que foi, dona Sofia?

As duas estão paradas diante de mim. Quanto mais perguntam, menos condições eu tenho de responder. O riso vem das entranhas. É tão intenso que estou sentindo perder as forças. Ana percebe. Segura meus braços e os levanta.

— Respira fundo.

Sem forças, tento obedecer.

— Sofia, respira fundo e tenta levantar um pouco mais a cabeça.

Noêmia está apavorada ao meu lado. Aos poucos vou me recompondo. A respiração vai ficando mais lenta, o corpo vai reencontrando as forças. Um tempo de silêncio entre nós.

— Está melhor?

— Sim, Ana. Obrigada!

A voz custa a sair. Um pensamento me ocorre. A fragilidade nos priva até do riso. Mas há anos eu não ria assim. Há anos. E, mais uma vez, Ana parece ler meus pensamentos:

— Há quanto tempo você não ria assim, minha querida Sofia?

— Há anos, Ana. Há muitos anos.

— Se você tivesse morrido sem me contar o porquê estava rindo eu a mataria.

— Foi bobo.

— E quase a matou de tanto rir.

— Talvez eu esteja mais generosa do que antes.

— E não seleciona tanto os motivos para dar uma boa risada...

— Sim, bem isso.

— O que a fez achar graça?

— De você dizer que os médicos liberaram a tintura para os meus cabelos. Que uma tintura com menos química não me faria tão mal.

Ana sorri e passa a mão pelo meu rosto. Eu não preciso dizer nada. Ela agora sabe o motivo do riso.

— O que pode fazer diferença nesta hora, não é mesmo? Uma indisposição momentânea, talvez. O incômodo do cheiro da tinta. Pode ser que estando mais fragilizada eu tivesse alguns enjoos, indisposição. Mas nada que pudesse alterar a duração da minha vida, Ana. Eu não tenho mais o privilégio do "a longo prazo". Eu tenho o agora. E só.

— E por isso fazemos questão de lhe dar o melhor que pudermos, Sofia. Sem dores, próxima de seus cheiros, suas texturas, suas cores. Por isso quisemos trazer Noêmia. Para que ela restabeleça um vínculo com o seu passado. Alguém que materialize diante de seus olhos um pouco da vida que você já viveu. Nós todos lhe queremos muito bem. Eu já posso lhe dizer que a amo como se fôssemos amigas da vida inteira, mas para você eu acabei de chegar. Você precisa de alguém que a faça recordar a Sofia que precisa reviver.

— Para depois morrer em paz.

— Sim, meu amor, para depois morrer em paz.

Ana me abraça. Estou ainda sob o efeito do riso. Uma moleza boa que eu gostaria que se estendesse no tempo.

— Quer se sentar um pouco no seu sofá?

— Quero.

— Deixe-me ajudá-la. Trouxe alguns livros, caso queira ler.

— Vou querer.

— Depois é só escolher.

Auxiliada por Ana, eu me levanto e ela me ajuda a chegar até o sofá. Andar pela casa é diferente de andar pelo quarto do hospital. "Casa é sentimento que nos ocorre." Augusto sempre dizia isso. Ele tem razão. E, embora esta não seja a minha casa, o sentimento recém-inaugurado que ela me desperta é bom. Sento-me no sofá. O macio me abraça. Ergo-me um pouco mais e recosto meu corpo. Ana puxa o banco almofadado que tem o mesmo tecido e nele apoio os meus pés. Como se fosse uma mãe a cuidar de sua filha, ela me diz:

— Desfrute demoradamente cada momento. Sentiu-se bem? Demore, estenda, desfrute. Não interrompa o prazer, viu? E reclame imediatamente quando o momento for de desconforto. Combinadas?

— Combinadas.

— Vou preparar o lugar em que vamos arrumar os seus cabelos. Enquanto isso você fica tranquila soltando os seus gases.

— Que horror, Ana!

— Meu amor, pessoa que fica boa parte do tempo deitada se transforma numa fábrica de bufas. Ou vai dizer que a bonita não peida?

Noêmia gargalha da cozinha.

— Eu não disse que viriam coisas piores, Noêmia?

— Disse, dona Sofia, disse mesmo. A senhora tinha razão. Essa dona Ana não tem trava na língua.

— Pronto, me chamou de dona de novo. Eu mereço esse suplício?

Ana se afasta, e, quando está quase cruzando a porta da sala, na direção do alpendre, olha para trás e me diz:

— Peida bastante, meu amor. E, se for preciso, cague. Cague muito. Há agonias que só se despedem de nós depois que damos uma boa e substanciosa danificada na porcelana do vaso sanitário.

★★★

Ana retorna trazendo a cabeleireira, uma mulher que não parece ter menos de setenta anos.

— Não se preocupe, Sofia. Carmela parece uma múmia, mas ainda não está cega. Está um pouco paralisada, mas vai dar tudo certo.

Carmela percebe meu constrangimento com o comentário de Ana e imediatamente me salva:

— Não se preocupe, Sofia. Eu já estou acostumada com essa tanajura. Ela morre de inveja de mim.

— Tanajura?

— Sim, já viu o tamanho da bunda dela?

— Só não é maior que sua língua, ratazana de armazém. Sofia, Carmela cuida dos meus cabelos desde o tempo em que ela ainda tinha os dentes naturais. Vi cair todos.

— Muito prazer, Sofia.

— O prazer é todo meu, Carmela.

— O que vamos fazer nesses cabelos?

— O que você achar que pode ficar bom.

— De jeito nenhum. Quero fazer o que você quiser.

— O que você acha, Ana?

— Pelo amor de Deus, não pergunta a esta louca porque ela vai sugerir que você raspe a cabeça e pinte a careca de rosa.

— Cale a boca, Carmela. Você sabe muito bem que o bom gosto sempre se hospedou em mim, meu amor.

— Sim, se hospedou, mas não ficou nem um mês. Foi despejado.

— Sofia, meu amor, é só você pensar o seguinte. Se hoje você tivesse de ir à festa mais importante de sua vida, como é que você gostaria que estivessem os seus cabelos?

— Nossa, preciso pensar. Há anos eu não mudo este corte.

— Pois então. Gostaria de ir à festa com eles longos assim ou retiraria um pouco do comprimento?

— Sempre quis fazer um corte chanel, mas Augusto nunca deixou.

— Quem é Augusto?

— O ex-marido dela, Carmela.

— Ah, pois então já está decidido. Adoro contrariar ex-marido.

— E a cor?

— E a cor, Ana?

— A pergunta continua a mesma, Sofia. Com que cor de cabelos você gostaria de ir à grande festa?

— Seu marido já lhe proibiu alguma cor?

— Cala a boca, Carmela.

— Sim, eu sempre quis escurecer um pouco. Um castanho mais escuro.

— Pois então decidido está. Castanho-escuro.

— Adorei essa história de contrariar o falecido.

— Ele não morreu, Carmela.

— Mas é assim que a mulherada gosta de chamar os ex-maridos. A fila andou, morreu, linda!

No alpendre, um salão de beleza foi improvisado. Uma cadeira mais alta, um espelho e uma mesa de apoio para os instrumentos de Carmela. Sem muitos rodeios ela inicia seu trabalho. Pega uma escova e começa a me pentear. Meus cabelos estão compridos. Quase alcançam o meio das costas.

— Seus cabelos são ótimos. Mas estão mais secos que língua de papagaio, gritando por uma hidratação, mas daqui a pouco isso já estará resolvido.

— Obrigada, Carmela.

— Obrigada nada. Depois vai me pagar uma cerveja.

— Mas é uma cachaceira! Sofia, além de tudo essa gambá é alcoólatra.

— A conversa está entre os nobres, querida. Recolha-se à sua insignificância.

Carmela e Ana são como duas crianças. A naturalidade das ofensas demonstra a intimidade que certamente construíram juntas. De tudo eu acho graça. Havia muito eu não sabia o que era conviver num ambiente que me despertasse isso. Uma ambiência de graças e levezas. Carmela trabalha com destreza. A habilidade no trabalho está distante de seu aspecto envelhecido. Claro que não poderia ser diferente. Ana está sempre impecável. Ana é uma negra bonita, cabelos encaracolados, bem cuidados. É certo que não confiaria a uma desqualificada as suas madeixas.

— Não quero que você fique se vendo enquanto eu trabalho, pode ser?

Antes que eu responda, Ana já se adianta:

— Mas é claro que ela não vai ver. Vamos fazer igual aos programas de televisão. Vai dormir borralheira e acordar Cinderela.

— Claro. Pode ser assim.

Ana retira o espelho que estava diante de mim. Carmela não precisa dele para fazer o que pretende. Fecho os meus olhos. É bom receber aqueles cuidados. Agora as duas conversam assuntos que dizem respeito a elas. Desligo-me. Sempre tive facilidade de me recolher, mesmo estando entre muitos. Fui educada pela solidão. Anos e anos precisando conviver comigo me deixaram coisas boas. Esse aprendizado é um deles. Tenho feito muito ultimamente.

De olhos fechados eu vou longe. Mas não quero ir aos lugares que tanto frequentei nos últimos anos da minha vida. Por ora não quero voltar à cena da porta se fechando, do momento em que descobri que meu filho estava desaparecido, das muitas idas e vindas tentando notícias de seu paradeiro. Hoje eu quero me recordar do que não vivi. Inventar memórias, passados, recordações.

Estou na praia. O barulho do mar é previsível. Funciona em mim como um relógio que me mantém viva. Espero a repetição. O ar é fresco. Não faz calor nem frio. O que há é uma brisa delicada fazendo os contornos do meu rosto, como se o desenhasse com um pincel de plumas delicadas. Mãos invisíveis fazendo-me numa tela de ar, como um pintor a registrar a sua musa.

A música do mar está em mim. Nela eu me transformo. É tão intensa que tenho a sensação de estar repetindo o movimento de vaivém, enquanto Carmela realiza o seu trabalho. Ando pela praia vazia e uma sensação infantil me invade: o de ter o mundo só para mim. Sem divisões, sem partilhas, só meu. Uma satisfação que parece alcançar e consolar a menina egoísta que normativamente pude ser.

Na primeira fase da vida somos indivisos. Nada em nós pode ser repartido porque estamos sob as regras da anomia,[11] a total e radical incapacidade de perceber os outros. Somente depois é que aprendemos a ser com os outros. Sinto que preciso resgatar meu ser indiviso. Precisarei dele para morrer. Só ele poderá me sustentar no fim, porque a morte, mesmo quando assistida, nunca é um dom partilhável. Morrerei indivisa, incapaz de sair de mim. Será o meu retorno aos inícios.

Eu, que precisei aprender a ser pessoa, o oposto do indivíduo, precisarei esquecer as regras da divisão, das premissas que me ensinaram que só é pessoa quem se possui e se dá. Cessou o tempo de me dar. E, o pior, descobri que me dava movida por vingança e amargura. Desejei o retorno de meu filho muito mais para dele continuar cobrando a fatura das injustiças que julgo ter sofrido na vida, querendo injustamente que ele me devolvesse o que não foi por ele roubado.

---

11. Segundo Piaget, importante colaborador da compreensão do processo do desenvolvimento humano, muito usado na pedagogia, a anomia é a primeira fase do desenvolvimento do juízo moral da criança, quando ela ainda é incapaz de compreender e internalizar uma regra por si mesma, por ser neurologicamente imatura para isso.

A areia em meus pés é macia. De vez em quando uma onda me alcança. Enquanto caminho, outros barulhos se juntam ao do mar. Uma sinfonia a me receber e me envolver. Eu aceito. Eu quero. Eu preciso. Hoje, eu sou só minha. E ninguém há de me retirar esse direito.

— Sofia, Sofia, tudo bem?

Abro os olhos. Estou diante de Ana.

— Está tudo bem com você?

— Sim, por quê?

— Porque a incluímos várias vezes no assunto, mas você não interagiu. Vi que você não estava dormindo, mas também não estava acordada. Parecia que estava num transe psicológico. Fiquei preocupada. Viajou muito?

— Muito, Ana.

— E foi bom?

— Muito, muito bom.

— É o que importa. Quando temos a consciência de que o tempo está passando, tendemos a permanecer onde o que é bom estiver à nossa disposição.

— É verdade.

— O corte já está pronto e agora vamos à tintura. Depois lavamos, escovamos e faremos uma maquiagem para tirar o ranço do hospital.

Todos os cuidados me são dispensados. Sorvo cada detalhe de tudo o que me oferecem. Algo mudou em mim. Uma sensibilidade aguçada para perceber o que antes eu não percebia. Os toques em minha cabeça, a textura da água, o cheiro bom que o cuidado me concede. É como se neste momento eu estivesse inteira, consciente, sem que nenhuma parte de mim estivesse alienada em outro lugar do mundo. Estou aqui. Estou inteira aqui. Estou em mim. Estou inteira em mim. Como havia muito tempo eu não estava. O bom da vida sendo sorvido sem sofreguidão, sem a ânsia que tantas vezes me privou de absorver a beleza do vivido.

— Sofia.

— Oi, Ana.

— Estou aqui pensando.

— O quê?

— Que você está achando maravilhoso o que nós estamos lhe fazendo.

— Como sabe?

— Eu sei ler segredos, minha amiga.

— Quantas vezes eu fui ao cabeleireiro em minha vida? Inúmeras. E não me recordo de uma só vez em que apreciei o processo. Queria entrar e sair pronta. Mas hoje, não. Quero que nunca termine.

— A pressa nos coloca numa oposição radical com os prazeres da rotina. Vivemos mecanicamente, sempre apressadas, realizando funções que, se honestamente fossem distribuídas, precisaríamos de no mínimo três pessoas.

— É verdade.

— Você concorda com tudo o que ela fala?

— Cala a boca, Carmela. Não me recordo de ter autorizado você a participar da conversa das madames.

— Madame aqui é só a Sofia, meu amor. Você é mula de transporte igual a mim.

— Está vendo o que passo, Sofia? Estamos aqui tratando de um assunto tão elevado e a velhota nos interrompe. Continuando... não quero ser interrompida, por favor. E porque estamos sempre apressadas, deixamos de construir ritos para os nossos acontecimentos rotineiros. Carmela, você se lembra de como mamãe nos dava banho de bacia?

— Claro que me lembro. Como poderia me esquecer? A bacia que era usada para o seu banho era três vezes maior do que a que era usada para suas irmãs.

— Vocês se conhecem desde criança?

— Sofia, eu arrasto esta cruz desde a infância.

— Nascemos na mesma rua, Sofia. A mãe de Ana era muito amiga de minha irmã.

— Eu achei que vocês se conheceram por conta do salão.

— Não. Eu abri o salão incentivada por Ana. Estava na rua da amargura, como dizia minha mãe. Meu marido me largou com quatro crianças. Eu nunca tinha trabalhado fora. Ana soube do acontecido e foi lá em casa me dizer que iria pagar um curso de cabeleireira para mim.

— A infeliz não sabia pentear os próprios cabelos, Sofia, mas foi o que me ocorreu na hora.

— Sim, quando a tanajura me falou, pensei que ela estivesse louca. Se bem que louca ela sempre foi. Eu disse que não tinha jeito para o negócio, mas ela insistiu. Acabei aceitando.

— Você não sabe o pior, Sofia.

— O quê, Ana?

— Eu fui cobaia durante o aprendizado. Ela fez o curso, aprendeu, mas não ficou uma cabeleireira maravilhosa. Então eu ainda tinha uma segunda missão: chamar clientes para o salão. E assim deixei de fazer os cabelos com a minha cabeleireira para fazer com ela.

— Só tinha ela de cliente.

— E ainda me estragou os cabelos duas vezes. Na primeira, fez uma chapinha quente que me fez ficar a cara da Lassie, aquela cachorra do filme. Um horror!

— Não exagera, tanajura.

— Na segunda vez, ela errou na dose da química. Caiu metade dos meus cabelos. Fiquei parecendo uma sobrevivente do incêndio do edifício Joelma.

— Meu Deus, Carmela!

— Sofia, a gente aprende errando, meu amor.

— Pois é, e errou justamente comigo.

— Mas como é que vocês conseguiram clientes?

— Comprei uma peruca lindíssima, cacheada, que passava dos ombros. Todo mundo perguntava: "Ana, que maravilha, o que você fez nos seus cabelos?". E eu mentia com a maior cara de pau: "Carmela, meu amor. O nome dela é Carmela, a melhor cabeleireira que eu já vi na vida. Mas ela tem agenda cheia, nunca tem horário, mas eu consigo pra você!".

— Foi mesmo. No outro dia, as clientes já começaram a aparecer.

— E a mentira virou realidade, Sofia. Tenho muito orgulho de saber que contribuí para tornar Carmela a grande profissional que é.

— Que história bonita, gente!

— Sim, bonita porque não foram os seus cabelos que caíram.

Carmela olha para Ana. Percebo que há uma gratidão que nunca morrerá entre elas. Ana dá um beijo na bochecha de Carmela e diz:

— Nunca suportei ver gente certa no lugar errado, Sofia. Carmela era um oceano de possibilidades. Mas não sabia. Sua ambiência afetiva não permitia seu crescimento. Tinha um marido machista, ignorante, incapaz de percebê-la como alguém que tinha vida própria. Sofria violências físicas e emocionais. Todas nós sabíamos, mas ninguém tinha coragem de intervir.

— E você não procurava ajuda, Carmela?

— Quando crescemos vendo nossa mãe passando o mesmo que passamos, Sofia, a gente acaba pensando que a vida só pode ser daquela forma. Foi então que esta criatura chegou e mudou tudo.

— Carmela sempre foi uma mulher forte, mas estava esquecida, Sofia. O marido fez questão de fazê-la esquecer.

— Era machista demais.

— E muito ignorante. Certamente teve motivos para isso.

— Sim, o meu sogro era igual. Minha sogra sofria nas mãos dele. E o meu marido tinha muitos traumas causados pelo pai. Mas ele não conseguiu superar. Tornou-se igual ao homem por quem tinha aversão.

— É muito difícil quebrar uma corrente dessas. O sofrimento passa a ser tutor da pessoa que sofreu a espoliação. E, então, repete com os outros o que tanto abomina ter sofrido.

— Sim, quando movidos pelas consequências dos sofrimentos não curados, tornamo-nos o algoz de muitos outros.

A voz de Ana repercute em mim. Volto a perceber a sensibilidade que parece abrir minha alma para ser profundamente afetada por tudo o que me é proposto viver. O que Ana acabou de dizer é muito comum. Tantas vezes já tive contato com essa maneira de pensar, mas agora soa como força de convencimento. O entendimento não nos chega quando queremos, mas quando dele precisamos, ou quando para ele estamos preparados. É mister entender o que da vida está sendo derramado sobre mim. Às vezes tenho a sensação de que sou um recipiente a transbordar o líquido. Não cabe em mim. E porque estou sob o fluxo do esclarecimento que me ilumina a consciência, deixo transbordar. Estou decidida a não represar o que é essencialmente mais volumoso que minha capacidade de suportar. Seria isso a tão falada catarse? Creio que sim.

A hora da essência. É ela que me permite o desmanche, a abertura das comportas. Por vezes sinto o fluir silencioso dos excessos, mas por vezes o movimento é de correnteza. Esvaem-se violentamente, como se uma saturação gritasse o direito de fazer arruaça, para que depois a alma possa retornar à calmaria.

"O sofrimento não curado nos transforma em algoz de muitos outros." É verdade. E eu sei que não é justo transformar alguém numa extensão da vida que fracassou em mim. Foi o que fiz com Gustavo. Estava cega para perceber. E não é possível retornar no tempo, retirar o menino do descampado emocional em que o condenei a viver. Não se corrige o passado. O único tempo que se submente ao nosso comando é o presente. O agora é o único campo possível para a nossa atuação. Nele encontramos a argila dos dias, dos fatos, das situações, pronta para receber o molde que escolhemos. Artesã dos meus dias. Preciso ser consciente. Ainda que me restem poucas horas para ser movida por essa consciência. Quero a interferência sobre o que penso, sobre o que sinto e sobre o que digo. Tudo a distância dos que me viram defeituosa, apartada dos que sofreram com os jugos impostos por mim. Esta sou eu. Sem tirar nem pôr. Um misto de arrependimento e alegria, vida e morte, doença e cura, correspondência e silêncio. O que ainda espero da vida? Nada, mais nada. Ou melhor, espero, sim. Quero o despojamento espiritual, o desprendimento emocional que me permitirá olhar nos olhos dela e dizer: "Vida, minha vida, está tudo certo. A senhora não me deve nada".

★★★

— A senhora anda muito voadeira.

— Consequência natural de quem viveu muito tempo presa ao chão, dona Ana!

— O seu "dona Ana" me soou tão amoroso que nem vou recriminar você!

— Dona Ana é a maneira mais apropriada de chamar você. Noêmia está corretíssima em sua intuição.

— Por que diz isso?

— Porque "dona" em você não é mero substantivo feminino, tratamento reservado às senhoras de alta linhagem.

— Revestiu o "dona" de Noêmia com tanta solenidade que nem me pareceu ofensivo mais. Mas continue dizendo, estou precisando ser elogiada.

— Onde está Carmela?

— Carmela? Acabou de sair, criatura! Você se despediu, deu beijo e tudo.

— Estou completamente fora de órbita. Será que devo dizer isso ao doutor?

— Claro que não. Quem me dera também sair de órbita. Não queira medicar o que é benéfico. Caso você comece a querer matar alguém, aí sim procuramos ajuda. Você está mergulhando em si. Já estou sendo capaz de perceber exatamente o momento em que você se desliga. Nem vou me preocupar mais.

— Acho que andei muito ausente de mim.

— Certamente. É tão fácil acontecer. Levamos filhos, marido, trabalho. Por onde vamos levamos a todos, menos a nós mesmas. É um estar sem perceber, um viver com restrição de oxigenação. Coisa estranha, Sofia. Ser vítima de si mesma. Em algum momento da rotina nos adaptamos a viver sem alma, puro corpo, restritamente matéria, massa orgânica que não se abre ao sopro que lhe concede sentido.

— Tem razão. É muito fácil entrar no ciclo vicioso dessa redução.

— Sim, ninguém está imune.

— Mas diga-me uma coisa.

— Digo.

— Como ficaram meus cabelos?

— Daqui a pouco você vai ver. Agora vou fazer lanternagem e pintura.

— Serviço completo?

— Claro, meu amor, vamos fazer uma maquiagem. Embora você já tenha remoçado uns vinte anos depois que entrou nesta casa, ainda tem uns ajustes que precisam ser feitos.

— Há anos meu rosto não sabe o que é uma maquiagem.

— Sim, mas hoje vai recordar.

— E você sabe fazer?

— Querida, tão logo Carmela abriu o salão, eu me meti no negócio como maquiadora.

— Mas você já tinha habilitação para isso?

— Claro que não. Aprendi rebocando a cara das pessoas.

— Meu Deus, Ana, que coragem!

— Nem me fale. No início, as pessoas saíam do salão com cara de que iriam para uma festa junina. Com o tempo fui aprendendo. Depois, modéstia às favas, tornei-me a melhor da cidade. A mais procurada, a mais desejada. Foi com o dinheiro como maquiadora que paguei minha faculdade. Especializei-me em noivas. Assim, ficava fácil conciliar os estudos com o trabalho. Tinha aulas até sexta-feira de manhã, e à tarde já começava. Trabalhava feito uma louca até sábado à noite. Depois comecei a atender também durante a semana, sempre conciliando com a faculdade.

— Deve ter ficado exausta nessa época.

— Sim, mas o que me desgastou mesmo foi o meu casamento. Eu estava no segundo ano do curso quando me casei com Samuel. Logo nos primeiros meses de vida a dois eu comecei a me submeter aos seus desequilíbrios.

— E por que se submeteu, mesmo sendo tão determinada?

— Essa foi uma pergunta que sempre me fiz. Como é que eu, sendo tão emancipada, dona de mim, pude me submeter àquele regime de violência emocional.

— Ele agredia você fisicamente também?

— Não, mas já estava prestes a fazer. Da violência emocional à violência física o caminho é tão curto, minha amiga.

— Sim, muito curto.

— Augusto alguma vez agrediu você?

— Não, sempre um cavalheiro comigo. Mas continue falando do porquê de ter se rendido a ele.

— Primeiro porque eu estava muito apaixonada. E você bem sabe que a paixão nos cega.

— E como sei!

— Movidas pela paixão somos capazes de sacrifícios cruéis, inclusive abrir mão da própria vida. Mas havia um fato novo. Samuel foi a primeira pessoa que me desafiou.

— Como assim?

— Eu sempre fui muito dona de tudo. Em minha casa eu dava a primeira e a última palavra. Tinha uma facilidade imensa de comandar, determinar, escolher, bater o pé e fazer com que tudo acontecesse de acordo com minha vontade. Mas, de repente, com ele não funcionou.

— E você percebeu desde o início?

— Sim. Ele nunca cedia. E é claro que num primeiro momento eu me impunha, gritava, mandava ele embora, escorraçava. Terminamos o namoro inúmeras vezes. E ele ficava na dele. Nunca me procurava. E alguma coisa me levava a procurá-lo.

— Mesmo sabendo que não daria certo.

— Mesmo sabendo.

— Já estava completamente apaixonada.

— Sim. Percebi que queria aquele homem de qualquer jeito. Acreditava piamente que eu seria capaz de domá-lo, que em breve ele estaria fazendo tudo conforme as minhas vontades.

— E deu certo?

— Claro que não. Num primeiro momento eu insisti por orgulho, mas de repente, Sofia, sem que eu tivesse força para voltar, percebi que estava inteiramente disposta a assumi-lo, e a ele ser submissa.

— Que loucura, Ana!

— Hoje eu compreendo perfeitamente. Tenho até uma teoria. A pessoa muito emancipada, quando se rende a alguém, ela o faz plenamente.

— E ninguém tentou ajudar você?

— Ajudar como? Eu me fechei completamente. Ele me afastou de todos os meus amigos, inclusive de minha família.

— E você aceitou isso?

— Eu aceitava tudo, Sofia. Eu estava emocionalmente fragilizada, ainda que parecesse bem. Eu vivia num cativeiro emocional. Ele era o meu sequestrador. Fez-me acreditar que só ele me bastava. A dependência afetiva foi tão profunda, mas tão profunda, que eu realmente acreditei que ele tinha razão. Ele colocou uma indisposição entre mim e os outros. Fez-me crer no absurdo de que meus amigos eram um bando de interesseiros, e que minha família me explorava. Rompi com todos por conta dele.

— E como seus pais viveram tudo isso?

— Minha mãe sofria muito. Mas fazia questão de que eu não soubesse. Ela sempre sofreu calada. Mas eu sabia que ela sofria. Meu pai foi muito sábio. Um dia ele me chamou e me disse: "Minha filha, eu não acho que seja necessário você se afastar de nós para viver o seu casamento. Mas, se você chegou à conclusão de que é o melhor a ser feito, faça, mas sem culpas. Não se preocupe conosco. E, se precisar voltar, a qualquer hora do dia ou da noite, esta casa continua sendo sua. E nós, sendo seus".

Ana faz uma pausa. As últimas frases já foram ditas sob o impulso da emoção. Ela respira fundo e continua:

— Nunca me esqueço, Sofia. Essa fala de meu pai está tatuada dentro de mim. Não sei o motivo. Ouvimos tantas coisas ao longo da vida, mas algumas recebem a bênção da eternidade.

— O amor que nos é oferecido quando não merecemos nunca pode ser esquecido. O que é dito também, Ana.

— Não mesmo. E foi bem isso. Eu oferecendo desprezo, e ele me oferecendo amor.

— E quanto tempo durou esse sequestro emocional?

— Durou três anos. Até que Samuel morreu de um ataque cardíaco jogando futebol.

— Ele era doente?

— Não, muito saudável, jovem e disposto. Nem imaginávamos que ele tivesse um problema congênito.

— De repente, ele estava morto.

— Sim, de repente.

— E o que você fez, Ana?

— Assim que recebi a notícia, agi com toda a naturalidade do mundo. Liguei para um taxista que sempre me atendia e fui com ele até o hospital para onde o levaram.

— Agiu como se quisesse negar a realidade?

— Não, Sofia, agi sob perfeita percepção da realidade. Cheguei ao hospital, fui levada até ele. Ele já estava recebendo os primeiros socorros. Não houve uma palavra. Ele não podia falar. Quando segurei a mão dele, ele apertou a minha, olhou profundamente para mim e morreu.

— Como conseguiu tanta frieza, já que era tão ligada a ele?

— Vê-lo morto foi o pior acontecimento da minha vida, mas foi também libertador. Eu sabia.

— Meu Deus, que sentimento ambíguo.

— Custei a entendê-lo, meu amor! Só hoje sou capaz de falar sobre isso de maneira mais racional. Antes eu só sabia traduzir o sentimento que me ocorreu naquela hora. Mas agora, distante quase vinte anos daquele dia, consigo expressar o que eu internamente vivia. Era o pior e o melhor dia de minha vida.

— Ana, que loucura isso!

— Sofia, ver Samuel morto me deu uma doce e cruel sensação de vingança, como se finalmente eu pudesse dizer a ele: "Não disse que um dia eu o venceria?".

— Ali você voltava a ser você.

— Sim, diante dele morto eu experimentava a pior desolação. Sabia que me despediria do homem que me fazia arder de paixão, mas, em contrapartida, arrancaria definitivamente de mim a insegurança de perdê-lo para outra, ansiedade que tantas vezes sustentou o avesso de minha submissão. Eu não suportaria vê-lo nos braços de outra. E, quanto mais essa ideia me visitava, muito mais eu me fortalecia para enfraquecer a minha personalidade. Ele não cansava de dizer: "Só fico com você porque você não me desafia. Nunca me demorei com mulher que quer mandar em mim, Ana!".

— Que homem cruel!

— Mas o pior não era a crueldade que ele praticava comigo, Sofia. A pior crueldade era a que eu me impunha a viver.

— Com certeza.

— Os outros nos tratam como autorizamos. E é claro que essa autorização não acontece da noite para o dia. Ela é processual.

— Sim, a relação abusiva é uma construção que passa pelo tempo. Ou desconstrução, não sei.

— Os dois. Não é possível construir sem destruir. É cíclico. A questão é saber responder se o que está sendo construído de nós é melhor do que o que está sendo desconstruído.

— Um discernimento difícil.

— Sobretudo quando estamos sob a tutela da paixão, que a meu ver é a supressão temporária da razão. Ele estava me transformando na pior versão que eu poderia ser de mim, Sofia.

— E com sua autorização.

— Em partes. Só autorizamos enquanto somos livres. Eu só fui livre no início. Com o tempo, a liberdade vai ficando comprometida. Quanto mais nos submetemos à escravidão que o outro nos condena, muito mais escravos nos tornamos. A submissão vai nos privando da liberdade. Chega um momento da relação abusiva em que nada mais é livre, tudo é resposta condicionada, fruto de uma escravidão emocional instalada na mente. A dependência afetiva sufoca gradualmente a capacidade de decisão.

— Como se fosse um cavar que nunca nos permite encontrar o fundo.

— Exatamente. Um movimento que vai nos amordaçando sempre mais, impedindo-nos de recobrar os direitos perdidos, mas, ao contrário, fazendo perder outros, como se o assaltante não precisasse mais do recurso da força para nos fazer entregar a riqueza.

— Recordei-me agora do poema que você declamou naquele dia.

— "No caminho, com Maiakóvski".

— Sim.

O silêncio se estabelece, fruto natural da cumplicidade que nos alinhava. O eterno retorno da vida. O mesmo poema como expressão de nossas vivências. Naquele dia, a dizer sobre mim. Hoje, inteiramente costurado às dores de Ana.

Dois seres descritos numa só urdidura de palavras. A universalidade pertence aos poetas, aos mestres das metáforas, da simbologia linguística que retira os sentimentos que ficam amolgados nos estreitos dos corações, colocando-os para quarar no varal da escrita. De vez em quando é preciso caminhar sob o ardido do sol. Só para recolher do varal a peça que nos pertence.

★★★

Estou de volta. O cordão que me liga ao tempo cumpre, mais uma vez, o seu ofício de me tomar pelas mãos, conduzindo-me pelos caminhos do retorno. Sei que todas essas viagens me preparam para morrer. São elas que me devolvem aos lugares onde algo de mim precisa ser recolhido. Os últimos dias, quando vividos com sabedoria, servem-nos como uma bela experiência de restituição.

Ana está cantando enquanto arruma o espaço que usamos. Eu continuo sentada na cadeira de salão improvisada. Meu corpo está confortável. Nada me dói. É como se os tumores não existissem. O conforto certamente tem contribuído para minhas rupturas temporárias com a realidade.

Tem sido tão novo poder sair de mim. Um sair só para poder voltar, experiência cíclica que me insere num ventre fértil onde alterações são feitas, reparos existenciais, como se um pequeno movimento reproduzisse em mim o mesmo ciclo das estações: da primavera ao verão, do outono ao inverno. Tudo porque uma inteligência superior está disposta a me curar, sarar minha alma ferida, estancar o sangramento de cada época.

As estações ferem e inflamam a terra. Cada uma a seu modo, com suas armas. É tão lindo ver as árvores se desprenderem de sua vaidade vegetal, abrirem mão de momentaneamente possuir folhas e frutos para, depois, quando o canto das cigarras anunciar o tempo da ressurreição, encherem-se de pujança, viço, num verdejante espetáculo de disposição e lealdade à raiz que se preservaram.

— Pronto, Sofia. Você está linda!

Ana coloca o espelho diante de mim. Vejo-me. O impossível aconteceu. Estou bonita, muito bonita. Os cabelos, a maquiagem, a roupa que Ana trouxe para mim, tudo me faz parecer saudável, longe do diagnóstico recebido e dos dias sombrios que dele se desprenderam.

— Ai, meu Deus. Vocês fizeram um milagre!

— Gostou?

— Muito. Por que Carmela não esperou para vermos juntas?

— A infeliz tinha uma cliente inadiável.

— Inadiável é só a vida, dona Ana.

— Sim, mas você precisou saber que estava morrendo para aprender isso, meu amor. Carmela, apesar de velha feito uma tartaruga manca, ainda tem surtos de juventude. Um dia ela aprende.

— Eu viveria tão diferente se tivesse outra chance, minha amiga.

— E quem disse que você não está tendo?

— Mas eu me refiro a uma oportunidade que contemplasse mais dias, meses, anos.

— Mas já falamos sobre isso. Não temos controle sobre o tempo que nos resta. Eu posso ir antes de você.

— Pouquíssima probabilidade de isso acontecer.

— Mas quem disse que a vida põe atenção às nossas probabilidades? E, não se esqueça, vida e morte convivem como nós. Na mesma casa e são amicíssimas.

— Andam de mãos dadas.

— Não se soltam, menina Sofia. Devem ficar conversando uma com a outra o tempo todo, fofocando.

— Até gosto de imaginar a convivência.

— Eu também. A morte olha para mim e diz: "Que mulher maravilhosa, quero levá-la pra mim". A vida contesta: "Deixa minha Ana Flores quieta, ainda preciso dela".

— E a vida convence a morte, dona Ana?

— Claro! Ela sempre tem a primazia.

— E como é que a morte consegue seus resultados?

— Quando ela mostra à vida que naquele momento ela tem razão em querer fazer aquele resgate.

— Como no meu caso?

— Sim, como no seu caso. A morte certamente argumentou com sabedoria para que a vida lhe concedesse a honra de seguir com ela.

— Honra, dona Ana?

— Claro, meu amor. Nós conhecemos excessivamente a vida e restritamente conhecemos a morte.

— Mas a morte sempre nos soou pavorosa.

— Claro, somos materialistas demais. Nosso olhar é reduzido, minimalista, limitado.

— Mas é só a vida que conhecemos. Não sabemos lidar com a morte porque nunca precisamos enfrentá-la. Só o faremos no dia em que a vida desistir de lutar por nós.

— Mas é pensando assim que nos enganamos, meu amor! Você está morrendo desde que nasceu. Crescer é morrer, deixar de ser para tornar-se outra. Você lidou com muitos lutos até aqui. Sepultou a recém-nascida que você foi, depois sepultou a criança, a adolescente, a jovem, a mulher casada, a mãe...

— Todas sepultadas em mim. Mas a morte será a finalização das minhas possibilidades. Eu deixarei de ser.

— A morte do corpo encerrará a missão térrea. Tudo estará terminado. Mas então você seguirá de outra forma.

— Sim, você acredita em vida após a morte.

— Meu amor, eu acredito na eternidade.

— E como você a imagina?

— Eu acredito, eu não imagino.

— E qual é a diferença?

— Imaginar seria atribuir categorias humanas que são pequenas demais para se referirem à eternidade. Eu prefiro crer. E crer é esperar. E esperar deixa de ser um verbo sem conexão com a realidade quando decidimos construir os detalhes do que esperamos.

— É verdade.

— Eu espero pela eternidade. E algo me diz que ela é o resultado final de uma evolução espiritual, de um alcançar sem medidas às nossas possibilidades humanas.

— Evolui quem espera construindo o que espera.

— Certamente, Sofia. O que me move é o desejo de ser melhor. A cada dia. Tenho sede de aperfeiçoamento. Quero me desvencilhar de meus egoísmos, de meus ciúmes, de minhas invejas, de minhas mesquinharias. Por quê? Porque eu mereço ser melhor. Quando estou presa ao que tenho de pior, minha vida perde em qualidade. Não posso sentir-me bem, feliz, realizada se estiver movida por sentimentos mesquinhos. Concorda?

— Claro que concordo. Só eu sei o quanto me infelicitei por não ter tido essa consciência antes.

— Você nem precisa ir muito longe para compreender a regra. Viu por si mesma que não faz sentido viver sob a doma da mágoa, do ódio, do ressentimento e do vitimismo. A vida deixa de valer a pena.

— E como deixa, Ana. Um desassossego dia e noite.

— Um inferno antecipado, eu diria.

— Sim, uma antecipação do inferno.

— Por isso eu me empenho em antecipar o céu, que é o conceito de eternidade que melhor soa aos meus ouvidos. Talvez pela minha experiência cristã. Sempre que escuto um discurso sobre o céu, ocorre-me a prevalência de tudo o que é harmonioso. Mas não acho justo comigo esperar morrer para experimentar, ainda que em pequenas partes, essa harmonia.

— Faz sentido.

— Então, eu quero fazer o céu ser aqui. A mim não interessa como será após a minha morte. Não tenho inteligência para compreender isso. É mistério. Eu prefiro saber que Deus está me dando o momento presente para que dele eu faça um céu temporário. Depois eu recebo o definitivo.

— Muito interessante a sua perspectiva.

— Para mim, essa é a perspectiva mais razoável. Acho estranho ver as pessoas compreendendo a vida terrena como um vale de sofrimentos, como uma imposição necessária, estranguladas pela culpa religiosa. Respeito, mas a mim não se aplica. Não quero viver sob fardos de culpas. Eu quero é me arrepender dos meus erros. Mas há pessoas que nunca se arrependem, limitam-se a viver culpadas e infelizes, vítimas de uma vida sem gosto, sem elã, sem misericórdia.

— Nossas compreensões passam pelo filtro do que somos.

— Mas claro! A gente se agarra à fé que mais se parece com a gente. Eu creio na vida, na beleza das coisas, no bom de cada oportunidade. Eu sou naturalmente afeita ao ritual. Como eu lhe dizia antes, gosto de tomar banho. Há muito tempo eu não me permito um "banho técnico" porque é a oportunidade que tenho de dar ao corpo um alento. Eu provoco o conforto, puxo o gatilho da percepção. Percebo a água, o sabão, a esponja, o xampu. Quero o prazer de cada coisa. Eu mereço, meu amor. Trabalho tanto. Eu preciso do descanso que o rito da rotina pode me proporcionar. Entro no carro e escolho uma música. Eu não quero perder tempo com música ruim. Sempre digo. Não sei quantas músicas eu ainda poderei ouvir na vida. Então, sempre que tiver a oportunidade de escolher, só ouvirei o que me agrada.

— Você não existe, dona Ana Flores.

— Vou ter um fim de semana livre. Vou a qualquer lugar, com qualquer pessoa? De jeito nenhum. Eu me dou o direito de selecionar aonde irei e com quem eu quero estar.

— E é sempre possível?

— Claro que não. Mas eu tenho esta meta de vida: fazer de tudo para que o melhor aconteça. E eu não a perco de vista, tampouco desisto dela quando ela não se cumpre. Sofia, há um benefício que só o tempo nos traz: a capacidade de seleção.

— Uma precisão maior nas escolhas.

— Sim, mas, antes disso, uma necessidade de ser mais seletivo, que a meu ver vem antes das escolhas. A escolha já é o resultado. A necessidade de saber escolher é a causa.

— Na juventude nem sempre somos.

— Não, não somos porque carregamos a pretensão de que temos todo o tempo do mundo. O excesso de juventude nos provoca a ilusão de que não morreremos. E, então, esbanjamos tempo, debochamos dele, fingimos que ele não importa. Mas, depois que cruzamos o Cabo da Boa Esperança, ah, meu amor, depois que descobrimos que supostamente temos mais passado do que futuro, o olhar fica mais apurado, a sensibilidade fica mais aguçada, e a régua fica bem menor.

— A régua fica bem menor...

— Sim, passo a medir os centímetros. Se antes eu desperdiçava metros e metros de tempo, agora eu fico atenta aos milímetros que tenho dele.

— Estou me sentindo muito lisonjeada, dona Ana.

— Posso saber por que, dona Sofia?

— Por saber que entrei nos centímetros do seu tempo. Sendo você tão seletiva com o que quer viver, escolher ficar ao meu lado, gastar o seu tempo por aqui, nesta casa que não é minha nem sua, me faz sentir uma mulher muito especial.

— Meu amor, depois que tudo isso passar, se a mim fosse dada nova oportunidade de escolher, eu faria tudo como exatamente estou fazendo. Eu me interessaria pela paciente desconhecida do leito 9, eu pediria para assumir o caso, eu me infiltraria em sua vida, eu arrancaria todas as suas risadas novamente. Eu quebraria meio mundo de estruturas para lhe trazer para esta casa, eu buscaria Noêmia, eu traria Carmela para fazer os seus cabelos, e faria essa maquiagem que lhe devolveu boa parte do que a morte já tinha levado. Faria tudo, minha amiga, tudo de novo. Só para ter o prazer de lhe perscrutar a alma, saber-me em si, descobrir o que de mim lhe habita, esse mistério que nos torna tão temporárias e eternas ao mesmo tempo. Eu faria, sim, faria tudo de novo. Só para estar aqui na hora derradeira, no momento em que segurar a sua mão só terá sentido para mim.

— Sim, eu seguirei sozinha.

— Acompanhada pelos que você amou. Sem mágoas, sem ressentimentos. Todos eles reunidos num só canto, no albergue de suas emoções.

— Até o Augusto?

— Sobretudo ele, Sofia. Negar o amor reforça o sangramento da ferida.

— Eu o odeio, Ana.

— Odeia nada, meu amor! E essa é justamente a base de sua mágoa. Você não conseguiu converter o amor em ódio. Até que tentou, mas sua admiração por ele continuou viva. Sob disfarces, mas viva. Augusto nunca foi encaminhado à porta da rua. Você o trouxe consigo até aqui.

— Nunca mais consegui admitir para mim nem para Gustavo que eu ainda o amava, que eu queria que ele voltasse. Ainda que doente, velho, decadente. Eu o queria, Ana. E como queria.

— Corrija o verbo, Sofia. Você ainda o quer.

— Não consigo dizer. É como se assumisse que o desprezo dele me fez esquecer que tenho valor.

— Mas se ainda é verdade, é preciso dizer. Verbalizar liberta, minha amiga.

— Ainda que nos envergonhe o que precisamos verbalizar?

— A gente só se envergonha quando ainda há insegurança sobre o que o outro fará com o que precisamos dizer.

Ana tem razão. Não faz sentido continuar negando o que sempre soube. Eu amo o Augusto. Por mais que eu tenha tentado transformar o meu amor em repulsa, sei que não consegui. Fingi muito bem durante todo este tempo que me separa da noite de sua partida. Nunca disse a Gustavo o quanto eu ainda queria que o seu pai retornasse para reassumir o que sempre foi dele. Nunca fui capaz de admitir o quanto eu ainda o admirava como homem, pai e médico. Fiz questão de dizer coisas horríveis sobre ele, aleijei em meu filho a admiração que ele tinha pelo pai. Tudo porque não fui capaz de separar a minha mágoa da realidade. Augusto tentou ser um bom pai, mesmo não estando mais dentro de casa. Eu não permiti. Plantei no nosso filho a mesma semente de ódio que eu fazia questão de plantar diariamente em mim. Um ódio que me dilacerava dia e noite. Mas, por trás desse ódio, o que sempre houve foi amor, muito amor, admiração pelo homem que ele sempre foi, desejo de recobrar o direito de desfrutar de seu bom humor, de sua inteligência, de sua sabedoria. Eu queria que Augusto voltasse. Só isso. Que ele reabrisse a porta com a chave que ele nunca deixou de ter.

— Sim, eu ainda o quero.

A voz está sem coragem, mas diz. O que muito foi gritado por dentro muito pouco pode ser gritado agora.

— Repita mais forte. É importante reconciliar-se com esse desejo, meu amor. Não faz sentido criar disfarces horrendos para um sentimento tão puro, tão bonito.

— Eu o quero. Eu sempre o quis. Mas ele me abandonou, Ana.

— Mas nem isso foi capaz de mudar o tamanho de seu amor por ele, Sofia.

— Mas é tão humilhante.

— Humilhante o quê?

— Você sabe.

— Mas é importante dizer. Verbalizar uma realidade que até então viveu sufocada dentro de nós encaminha-nos para a cura. Recorda-se de quando falávamos que a palavra é uma pá que ara?

— Sim. Mas eu nunca serei capaz de dizer o que você quer que eu diga.

— Eu não quero que você diga nada. Eu só quero que você diga o que sempre quis dizer. Diga, minha amiga, diga olhando para mim.

O choro é inevitável. Uma convulsão interior me move por inteira. Ana me olha. Sabe o quanto eu sou escrava da palavra que não sei pronunciar. Eu ocultei, por mais que sempre soubesse, nem ao travesseiro ousei dizer. Estou agitada. Um oceano bravio está dentro de mim. Ana me encoraja com os olhos. Há uma confiança inquestionável entre nós. Eu preciso dizer, sei que preciso. E, então, como se fosse um vômito que eu não pudesse mais controlar, a voz recebeu a força do grito:

— Eu ainda te amo, Augusto, eu ainda te amo, eu te amo...

Soluço. Uma ebulição de lágrimas contorce meu corpo. Curvo-o para a frente, e Ana me recolhe em seus braços. O choro se avoluma. Continuo dizendo insistentemente uma cantilena de desejos e declarações, antes veladas. Todas para Augusto, o homem que desejei cravar na cruz com meu ódio, mas que infelizmente trouxe até hoje num andor de reverência.

Ana não diz mais nada. Limita-se a acariciar a minha cabeça, movendo-me a uma experiência de proteção que poucas vezes pude viver. Minha respiração é ofegante. O oceano revolto que de mim transborda recebe o amparo de Ana. Estamos conjugadas num sentir mútuo, como se o que agora me ocorre fora por ela autorizado. Uma autoridade afetiva que puxa a ponta do cordão, abre os caminhos, desobstrui as passagens. Levanto-me da cadeira. Começo a andar pelo alpendre. Nenhuma debilidade física impera. Aos poucos, a minha respiração fica lentamente compassada. O oceano retorna ao seu leito. A tempestade vai aos poucos cedendo lugar à calmaria. Encaminho-me até a gruta de onde brota a fonte. Ana não me impede. Ando sem ter consciência de que é a primeira vez que faço um deslocamento sozinha. Fico diante da imagem da Virgem Maria. A cena é simples. Uma mulher diante de outra. Duas mulheres que conhecem bem os remansos das dores humanas. Ambas perderam seus filhos. Ambas conhecem o peso da solidão. Lavo minhas veleidades nas águas que correm entre as pedras. O pequeno córrego corre também dentro de mim. Um choro manso, remanso leve de um rio profundo se esvai de mim. Ana se aproxima e me abraça. Enquanto acaricia os meus cabelos, uma carícia interior repatria os sentimentos que antes andavam exilados. O tempo não existe. Estou eterna.

★★★

Acordo, mas não abro os olhos. Não sei como voltei da gruta. Percebo a ambiência material que me envolve, e, mesmo sem abrir os olhos, sei que estou deitada no sofá. Estou leve, muito leve. A percepção da realidade está aguçada. Sei que chorei, confessei a mim, diante de Ana, o meu amor por Augusto. Verbalizei o que sempre quis verbalizar. Confessei que o amava, implorei que voltasse. Tudo o que neguei ao longo desses anos eu fui capaz de assumir. O que muda? Ainda não sei. Somente quando for necessário conviver com o que fora assumido é que saberei como será. Uma coisa é certa: não tenho como voltar atrás. Para Ana não será possível falsear. Nem precisaria. Diante de quem nos ama não faz sentido fingir inocência. Percebo que Ana está sentada ao lado. O seu perfume é bom e sempre funciona como um indicativo de sua proximidade.

— Noêmia preparou um café para você.

— Dormi por muito tempo?

— Por quase três horas.

— O sono que se desdobra do choro é sempre muito bom. É como se o corpo esgotasse todos os seus recursos, ficando totalmente entregue à necessidade de um repouso profundo.

— É verdade, Sofia. Todo choro é descanso. Eu também já emendei choros e sonos.

— Ana, não é maravilhoso ter o direito de saber que vou morrer em breve?

— Eu acho.

— Mesmo que você também saiba que morrerá, não tem a precisão de quando será. Eu sei que estou prestes a terminar a minha vida. Antes, essa consciência me apavorava, mas agora não. Estou me sentindo privilegiada em ter a oportunidade de perceber a forma como tenho dado meus últimos passos.

— Você me fez lembrar de um professor do meu tempo de faculdade.

— Por quê?

— Por causa de uma reflexão que ele fez sobre isso que você acabou de reconhecer como privilégio.

— Conta pra mim o que ele disse.

— Ele disse que até a metade de nossa vida costumamos viver sem nos recordar que a morte nos acontecerá. A juventude, os excessos que são próprios dessa fase, ocupam-nos tanto que acabamos não percebendo que estamos a caminho do fim. Nascer já é ambíguo. No nascimento já começamos a morrer. Mas a vida é tão viva, tão vibrante, tão efusiva nas primeiras fases, que quase não nos recordamos de que morreremos. Mas de repente, por motivos que geralmente desconhecemos, o gatilho é ativado. É como se passássemos a viver sob uma nova consciência. Uma iluminação que tende a nos fazer perceber a vida que ainda temos. É a hora do retorno, meu amor. Olhamos para os caminhos já percorridos e descobrimos que precisamos voltar.

— É verdade. Retornar com o que alcançamos da vida.

— Justamente. Recolher os cestos de experiências vividas. Os amores amados, as desilusões sofridas, as alegrias provadas, as dores suportadas. As traições, as perdas, as conquistas. Tudo o que nos fez chegar até aquele ponto. Um retorno que também é avanço. Voltamos de outra forma. Não consiste em retornar geograficamente, mas um retorno que se realiza no território das emoções, do espírito, ou da psique. Dê o nome que quiser.

— O que hoje percebo em mim é o resultado de uma experiência de retorno, Ana. É como se um esclarecimento me privilegiasse um novo olhar sobre o agora que tenho.

— Sim, minha amiga, a sua doença lhe permitiu perceber o retorno. Lembra que lhe falei sobre a hora da essência?

— Sim, eu me lembro.

— Nada em você está fora do eixo. A iminência da morte a fez reorganizar os estilhaços que estavam perdidos.

— Uma reorganização que agradeço a você.

— Sim, sei que participei, mas de fora. Eu apenas a estimulei para que percebesse o retorno que você estava vivendo. O protagonismo foi seu.

— Mas sem você eu morreria sem ter percepção do retorno.

— Pode ser que sim. Ou pode ser que não. A morte se impõe. E ninguém consegue morrer fora de si. A diferença é que, quando ficamos conscientes do retorno, desfrutamos dos frutos que são próprios dessa estação.

— A hora da essência. Como gosto dessa expressão!

— Eu também, Sofia. Desde que a descobri nunca mais abri mão de buscar e atualizar em mim a profundidade de seu significado.

— Depois que você me falou dela eu fiz um recuo histórico. Procurei recordar os momentos da minha vida em que pude vivê-la.

— E o que você encontrou?

— Em dois momentos. Quando nasceu o meu filho e no dia em que ele desapareceu.

— Em nenhum momento em especial com seu marido?

— Por incrível que pareça, não. Foi uma surpresa para mim. Percebi que estava habituada a revestir de idealizações a vida com ele. O despojamento que a doença me trouxe fez-me ver com mais lucidez, desmascarar a realidade. Hoje eu sou capaz de reconhecer que ainda o amo, mas não o idealizo mais.

— Se tivesse essa perspicácia desde o início, certamente teria sofrido menos com o término do casamento.

— Não tenho dúvida, Ana. Eu sofri não pelo que perdi, mas sobretudo pelo que imaginei ter perdido. É claro que eu era feliz ao lado dele. Não estou movida por um revanchismo que agora me permite diabolizá-lo só para sofrer menos com a perda. Não, não é isso. Eu apenas estou consciente de que não era tão perfeito quanto eu pensava ser.

— E o que a fez ver isso, Sofia?

— A reflexão sobre a hora da essência, esta oportunidade de saber-me inteira, sem nenhum detalhe de mim fora da trama existencial. Eu em mim. Inteira em mim. Eu acredito que só quando estamos rodeados de amor respeitoso é que podemos experimentar isso.

— Mas você consegue dizer em que momento o amor de Augusto não foi tão perfeito quanto você imaginava, e não foi suficientemente respeitoso, como você diz agora?

— Quando ele aceitou que eu fechasse o meu escritório para cuidar integralmente da nossa casa.

— Como assim, ele aceitou, não foi você quem decidiu?

— Sim, mas não foi uma decisão livre. Eu estava condicionada por ele, que sempre disse, antes de se casar comigo, que não gostaria de ter uma esposa que trabalhasse fora. Quando eu disse que fecharia o escritório, no fundo, no fundo, eu esperava que ele se opusesse, que dissesse não, que me motivasse a dar continuidade à minha carreira.

— Mas não é uma imaturidade esperar que os outros nos deem o que queremos? Não seria mais honesto você não ter colocado em questão a possibilidade de interromper o seu trabalho?

— Claro que sim, Ana! Mas o medo de perder o outro nos faz decidir o contrário do que queremos. É nesse momento que a relação abusiva começa a lançar os seus brotos em nossa mente.

— Mas o que você esperava que ele fizesse, que contrariasse os interesses dele para saciar os seus?

— Não seria o mais justo?

— Esperar que ele soubesse o que era melhor para você?

— Sim.

— Seria uma prova de amor irrefutável.

— Então por que você parece estar contra o que eu esperava dele?

— Eu não estou contra. Eu apenas quis que você cavasse profundamente as respostas que você precisava encontrar. Se eu concordasse logo no início, é muito provável que você tivesse parado na primeira frase. Dizer é curativo, já lhe disse. Eu preciso que você diga, repita, porque é assim que você será tocada pelo que já sabe de si mesma. E sabe a outra que precisa ser morta?

— Sim.

— Ela só morrerá com o impacto das palavras.

— As palavras matam, minha amiga!

— Sim, mas também fazem viver. Todo processo terapêutico é perpassado por elas.

— Só começamos a ser curados quando verbalizamos o que nos dói.

— Sim, porque tudo o que negamos dizer tende a se avolumar dentro de nós. Quando o desconforto emocional se reconcilia com nossa capacidade de dizer, é como se o rio represado reencontrasse o leito que o faz chegar ao mar.

— A mulher que necessita morrer em mim ainda tem o que dizer e ouvir.

— Exatamente. E ela morrerá à medida que a mulher essencial assumir o controle da fala, dizendo o que precisa ser dito, desmentindo o que precisa ser desmentido, esclarecendo o que precisa ser esclarecido.

— É verdade, Ana. Retirar o controle de uma e passar à outra, como o antigo proprietário que passa as chaves da casa ao novo morador.

— Somos essencialmente palavra, Sofia. Tudo o que em nós se firma como convicção, postura de vida, caráter, personalidade, é palavra. Mas também é a palavra que põe obstáculo à manifestação de nossa verdade. A mágoa, por exemplo, derrama suas nódoas sobre o rosto de quem a hospeda. Gera um modo de ser. Mas a pessoa é essencialmente mágoa? Claro que não, mas em algum momento da vida, por ter sido vítima de outros e de si, ela vestiu e se adaptou à postura magoada. O que antes era leve, gratuito e feliz ficou impregnado pelo obscuro do que foi assumido.

— Melhor teria sido se reconciliar com o acontecimento, livrando-se dela.

— Sim. E, assim, ela teria sido circunstancial, sem força de ofuscar a essência.

— Como será possível saber se já matei a que precisa morrer em mim, Ana?

— Quando perceber que a inflamação emocional cedeu. O que antes a inflamava, e que lhe era dado pela outra, perder a força, a capacidade de adoecê-la. Você percebeu que foi capaz de andar até a gruta, e andar firmemente, sem vacilar?

— Sim, acho que foi sob o impacto do momento.

— Não, você reassumiu a habilidade de andar. Não usaremos mais cadeira de rodas. Desabafar a curou da paralisia, meu amor.

Sorrio. Ana também. É muito bom cavar o chão de minha vida sob sua tutela. É tão confortante andar com ela pelos estios de meus afetos, caminhar e perceber o doído da aridez. Ana derrama ternura sobre minha vida. A palavra lavra, ara o duro do chão, sulca e produz veios por onde a seiva da sabedoria derramada entranha e umidifica. Eu preciso morrer em mim, comigo. Anseio por repatriar tudo o que de mim ficou forasteiro, estrangeiro, albergado nos confins que os desenganos construíram. Quero estar inteira no suspiro final, certa de que quem morre sou eu mesma, e não a estranha que se acomodou em mim, o espectro que se adaptou ao lenitivo da dor, que vestiu o vitimismo que me conduziu durante os últimos anos, num vergonhoso e infértil garimpo existencial que só me fez encontrar cascalho e pedra bruta. Essa, bem antes de mim, eu quero que já esteja sepultada. Para que o meu suspiro final não tenha mais os seus resquícios. Não faz sentido dividir o protagonismo da morte com alguém que nunca me permitiu viver.

★★★

O dia amanheceu e Ana não está. Noêmia me informa que ela saiu cedo porque tinha um compromisso. Consegui tomar banho sem auxílio. Há uma alegria silenciosa, delicada que me permite acessar a autonomia que ainda me pertence. Noêmia acompanhou, mas não precisou intervir.

Dirijo-me à mesa para tomar café. Tudo está preparado. É mais que isso. Não se limita a ser um posicionamento elegante de louças, talheres e alimentos. Tudo tem uma invisível camada de sentimento, um preparo espiritual que intenta me permitir tocar o imaterial do amor.

No lugar preparado para mim, vejo que há um embrulho de presente. Bonito, discreto, no formato de caixa. Noêmia se apressa em me dizer:

— Este presente acabou de chegar.

— Sabe quem me mandou?

— Não, dona Sofia. Foi um mocinho do hospital quem trouxe.

Abro a embalagem. É um box contendo os sete volumes da obra *Em busca do tempo perdido*, de Marcel Proust.[12] Existe um bilhete. Leio-o:

Minha amada Sofia, um livro longo para um período curto. Mas quem disse que as incoerências numéricas fazem sentido para um coração que só pretende viver? Acompanhe-se de Proust, permita que ele polvilhe sua alma com o que de mais alto existe.

Com amor,
Ana.

---

12. Marcel Proust, célebre escritor francês, figura entre os maiores escritores da literatura universal. *Em busca do tempo perdido* é sua obra magna.

Meu coração está acelerado. Como um atleta que acaba de saber que a maratona será longa demais para suas possibilidades. Como se, prestes ao sinal do início, descobrissem nele uma artéria frágil, obstruída, incapaz de suportar o esforço que a demanda exigirá.

Abro o primeiro volume. Quantas vezes eu fiz isso ao longo da minha vida? Inúmeras. Desde menina eu desejei fazer a leitura desse romance, mas nunca o fiz. Motivos diversos. A obra extensa demais, a necessidade de ler e estudar o específico de cada época, o conhecimento prévio de que a obra possui um vocabulário que exige pesquisa. Nunca fui adiante, ainda que muito desejasse. Nunca falei disso com Ana. Como ela descobriu que esse era um déficit que a vida inteira eu levei comigo? Quando tive tempo de sobra, durante a fase da minha vida em que pude ler o que bem entendesse, sequer cogitei iniciar o desafio. Mas agora, com essa sentença que me torna tão breve, entrar nas tramas de uma obra literária que certamente eu não conseguirei terminar? Eu conheço o motivo do título do livro. É um roteiro conhecido nos meios intelectuais que frequentei, até pelos que nunca o leram. A busca pelo tempo perdido começou num momento trivial em que o narrador, num monótono final de tarde de inverno, mergulha um bolinho numa xícara de chá. O sabor o devolveu à infância, provocou-lhe um arrebatamento que aplacava em si o fardo de sentir-se medíocre, insuficiente e mortal.

— A senhora quer um café com leite?
— Quero, Noêmia, por favor!

Noêmia me serve. A xícara que recebe os líquidos é bonita, atemporal. Pertence ao conjunto que herdei de minha mãe. A porcelana é elegante e delicada. Diante de mim está um pote de rosquinhas de nata. Noêmia consegue fazê-las como a minha avó. Minha mãe nunca conseguiu alcançar a mesma textura que ela, mas Noêmia, sim. Pego uma rosquinha. Consciente de que estou prestes a fazer o mesmo gesto que Marcel Proust realizou, quando foi invadido pelo insight que o fez escrever suas memórias, mergulho a rosquinha na xícara de café com leite. Proust mergulhou um bolinho numa xícara de chá. Sem saber que o fazia, acordou suas memórias, repetindo a prática de um ritual antigo. O corriqueiro daquele tempo recebeu o encantamento do momento presente. O bolinho no chá acordou o mistério do que parecia esquecido, reabilitando o cordão das horas, o fio do tempo, concedendo voz aos subterrâneos do passado.

O sabor que experimento não faz em mim o mesmo que fez em Proust. Não há um passado sendo acordado, tampouco ele me alforria temporariamente de minhas vicissitudes. Tudo está em mim. A fragilidade, a doença, a morte me comendo em silêncio. Mas há algo que considero ainda maior: a reconciliação com o momento presente.

Eu não escolheria estar em outro lugar. Há muito tempo eu não experimentava esse sentimento, e ele me invade. Eu só quero estar aqui. Sozinha com Noêmia, começando a leitura de um livro que sempre desejei ler, tomando um café com leite com rosquinha de nata, esperando por Ana. O que tenho me basta. Não estou esquartejada, subjugada por uma variedade de desejos: o de rever Augusto, o de reencontrar Gustavo. É como se um novo entendimento me desobrigasse de todas as exigências que me faziam a mulher que me tornei, e que descobri que necessito sepultar. Experimento um estado de pureza, como se o rio retrocedesse num lindo e misterioso processo de minguar, abrir mão das afluências recebidas, serpenteando pedras e vales, recuando em solitário movimento de se tornar menor, retornando ao estado de fonte, gota única, a primeira da essência.

Nada em mim está disperso. A casa que sou está tranquila. Nada sobra nem falta. Estou em essência.

★★★

Não percebi o passar do tempo. Já são quase três horas da tarde e eu não quis almoçar. Estou absolutamente arrebatada por Marcel Proust. O lirismo, a profundidade de cada personagem, a incomparável capacidade de descrever os sentimentos humanos, sondando os avessos que não costumamos notar, tudo contribui para que eu experimente uma satisfação intelectual e emocional que fazia muito eu não experimentava. Um deleite que é inegavelmente religioso, capaz de me colocar num lugar inédito em mim. A leitura flui. Sempre que preciso, consulto um dicionário que tenho no meu celular. É bom entrar no entendimento de outras palavras, conhecer quem somos de acordo com outros conceitos. O conhecimento nos mantém vivos, concluo. Ao longe ouço a voz de Ana. Está cantando. A voz se aproxima. Sei que ela já está no alpendre. Estou sentada na poltrona do quarto. Espero por ela.

— Já estamos nos braços de Marcel Proust?

— Estamos, Ana, e como estamos! Muito obrigada pelo presente.

— Não agradeça, meu amor. Dividir o que me fez bem é essencial para que eu me sinta viva. Sabia que eu considero essa obra a mais importante de todas que já li?

— Sim, ela está me parecendo gigantesca. Mas por que você a considera assim?

— Porque foi uma experiência arrebatadora. Li enquanto me recuperava do câncer de mama. Não conseguia parar a leitura, e isso fez com que eu não me ativesse tanto aos desconfortos do meu tratamento.

— Eu acredito. O deleite intelectual é o mais elevado de todos os que podemos experimentar.

— Sim, Sofia, e, na minha humilde opinião, infinitamente superior ao deleite sexual.

— Eu concordo. Mas é claro que a maioria arrasadora das pessoas discorda de nós.

— Sim, e ainda vão nos chamar de mal-amadas.

— Verdade.

— Interessante, mas durante o tempo do meu casamento eu me reduzi muito.

— Como, Ana?

— Meu marido e eu tínhamos uma vida sexual muito intensa. Ele vivia me despertando o que havia de mais primitivo em mim. E não podemos negar que a pulsão sexual pode ser um grande impedimento à elevação intelectual.

— Tive um professor na faculdade que nos falou da castidade como uma opção acadêmica. Eu sempre associei a uma escolha religiosa. Coisa de padres e freiras.

— Não, na Idade Média, a opção pela castidade, movida pelo desejo de dedicação irrestrita à vida intelectual, foi muito comum. Os intelectuais queriam neutralizar a pulsão sexual, por ser ela naturalmente dispersiva. Mais tarde a psicanálise chamou esse processo de sublimação.[13]

— Que de alguma forma comporta uma renúncia por um bem maior, mais elevado.

— Foi o que eu quis, Sofia. Tão logo o meu marido morreu, decidi que deslocaria os prazeres da sexualidade para os prazeres intelectuais.

— E você conseguiu, Ana?

— Meu amor, nada é definitivo. O vulcão sempre quer lançar uma remessa de lava. Tive algumas recaídas, mas o mal-estar emocional que ficava foi me vacinando, criando imunidade.

— O sexo, quando não faz parte de um conjunto mais amplo, gera muita frustração.

— Muita, muita frustração. Mas é por isso que eu investi tanto nos prazeres da intelectualidade. Aquela frustração me fazia muito mal. Foi então que comecei a estudar, fazendo algumas disciplinas como ouvinte. Comecei com história da arte, depois fiz um pouco de filosofia, música, literatura

---

13. Freud, pai da psicanálise, conceituou a sublimação como um mecanismo de defesa maduro, no qual impulsos socialmente inaceitáveis são transformados em ações aceitáveis. Freud abordou com muita propriedade a sublimação como um processo que facilita desviar os instintos sexuais, transformando-os em atos de maior valor social. O conhecimento é um deles.

francesa, e assim fui ocupando meu tempo, sempre alimentando minha inteligência e sensibilidade com conteúdos que me elevassem.

— Alcança-se tanto de si, não é mesmo, Ana? A busca intelectual abre tantos caminhos dentro da gente.

— Muitos, Sofia. E como é satisfatório andar por eles. Ainda que saibamos que nossa inteligência seja limitada, pois ela é insuficiente para a grande complexidade do mundo, nós podemos expandi-la. E a sua expansão é um projeto que nos ocupa por inteiro, de maneira que não nos sobra tempo para o que não edifica, para o que não nos altera positivamente.

— A expansão da inteligência é também uma expansão da consciência, Ana? Ouço falar tanto sobre isso.

— Dois movimentos de um único caminho, eu acredito, minha amiga. A consciência é o sacrário da vida humana. Sempre que nos referimos a ela, de alguma forma estamos evocando o cérebro, o lugar físico, material onde o conhecimento é processado, onde as memórias se reservam, mas também evocamos o que ao cérebro ultrapassa, o que nele é processado mas transcende, vai além de tudo o que fisicamente podemos investigar e dizer sobre nós. Alargar a consciência também consiste em alterar o cérebro, já que a neurociência afirma que a dinâmica do conhecimento mantém o cérebro vivo, uma vez que é no ato de conhecer que o cérebro é alterado, alcançando uma nova versão.

— Porque ingenuamente nós costumamos pensar o conceito de consciência como algo imaterial.

— Sim, em algumas compreensões, até derramando um caráter místico sobre ela. E nem é problema, desde que não nos esqueçamos de que toda e qualquer formulação que temos de nós, dos outros e do mundo é resultado de inúmeras reações nervosas, cerebrais. Portanto, a consciência se expande, sobretudo quando estimulamos a reflexão e o pensamento.

— O que consequentemente desperta o sentimento.

— Exatamente. Recorda-se quando lhe disse que toda nova postura só é possível quando começamos a alterar uma das três instâncias de nossa constituição essencial?

— Sim, o pensamento, o sentimento e a palavra.

— Que memória maravilhosa!

— Minha percepção está incrivelmente aguçada para o que é bom. Aliás, a memória está me trazendo recordações que estão me ajudando muito a reconstruir algumas perspectivas. Desmistificando algumas, percebendo o valor de outras que antes estavam sob a névoa da indiferença.

— Acho que você nunca se habituou tão profundamente como o faz agora nos últimos dias.

— Não tenho dúvida, Ana. Estou em mim, inteiramente em mim. Mas você iria me falar sobre as instâncias da constituição essencial.

— Sim, nós falávamos que toda transformação começa numa das instâncias, que depois vai movendo as outras. É sempre cíclico. Sabemos que a transformação profunda acontece quando nós identificamos que estamos modificados na forma de pensar, sentir e falar, mas também de agir. A ação é o lugar onde identificamos a articulação dos sentimentos, pensamentos e palavras. Mas em algum deles ela precisa ter início. Há pessoas que articulam as mudanças por meio do pensamento. São mais racionais, precisam racionalizar e ponderar. Da nova forma de pensar nasce uma nova forma de sentir. E da nova forma de sentir brota uma nova forma de agir e dizer. Há outras que sempre partem do sentimento. Alterando as emoções, alteram os pensamentos. E da nova forma de pensar modificam-se o agir e o dizer.

— Geralmente é um caminho mais difícil.

— Muito, Sofia, porque as pessoas emotivas, sensíveis, tendem a sofrer dobrado. Tudo é muito intenso. Se, por um lado, o temperamento lhes oferece riquezas, pois geralmente são artistas, pessoas com habilidades especiais, por outro, deixa um rastro de sombra naquelas que hospedam tal característica. Iniciar uma mudança pelo sentimento é sempre muito difícil porque as emoções nos traem. Mas acontece, a transformação pode ser gestada a partir delas. O comumente chamado *fundo do poço*, que particularmente gosto de chamar de saturação, é justamente o momento em que a pessoa pode, por meio das emoções, articular as quatro instâncias da transformação.

— Sou assim, Ana. As minhas emoções me traíram muito. Hoje, na tentativa de reorganizar a minha história, preciso desmentir a todo mundo as emoções mentirosas que me comandaram.

— Todo mundo precisa, Ana. Mesmo as pessoas mais racionais. Ninguém está imune. Em algum momento da vida já nos deixamos guiar por emoções mentirosas. A partir delas assumimos posturas, tomamos decisões.

— Tenho reconhecido o quanto eu acreditei no mito do amor perfeito. Minha relação com Augusto nunca foi perfeita. Mas, quando precisei perder, só conseguia sentir como se estivesse perdendo a vida ideal. Hoje, mais curada de mim mesma, sem as imposições que antes me justificavam como vítima, estou mais capacitada para reconhecer que não era tão maravilhoso quanto eu imaginava.

— Sofia, toda vez que somos surpreendidos por perdas, rompimentos e distanciamentos, precisamos nos perguntar: estou sofrendo pelo que realmente perdi ou estou sofrendo pelo que imaginava possuir?

— E como precisamos, Ana! A idealização é um caminho fácil. Ainda mais quando estamos no lodo da desolação. Olhamos com lentes de aumento para o que perdemos. Tudo nos parece maior e mais bonito. Não porque era, mas porque perdemos.

— Sofia, perda não é mensurável. Tudo dói. Sempre dói. E às vezes a dor é o resultado de muitas outras. Um arranjo misterioso. Uma tristeza acorda outras. O doído da alma se apega ao sofrimento da vez. Emprestamos um rosto, um nome, uma história que nos permita chorar tudo o que em nós ainda não tinha recebido a bênção das lágrimas.

— Como se um fio do novelo desenrolasse todo o resto.

— Sim, desatando o universo inconsciente, acordando o que antes dormia em nós.

— Como isso é verdadeiro, Ana!

— A minha profissão me permitiu ver isso acontecer. Muitas vezes. Uma perda despertava o sofrimento do passado, como se a pessoa encontrasse uma porta secreta que escancarasse outras.

— E tudo o que estava sob a regra do silêncio, de repente, deixasse de obedecer-lhe.

— Justamente. Tudo passa a ser gritado, chorado, lamentado. O choro convulsivo aparentemente amarrado ao motivo daquela hora chora outras questões também, num mistério que cala as perguntas de quem observa, sugerindo respeito.

— Eu tenho vivido isso. Sempre que uma tristeza me ocorre, percebo que ela traz consigo uma fila de outras. E tem sido bom, como se um remanso revolto ganhasse metros infindáveis de leito, podendo fluir naturalmente, sem que continue me alagando.

— Dores não curadas nos intoxicam, Sofia. A metáfora é perfeita. Formam represas dentro de nós. O que deveria encontrar o destino da fluência estanca-se, prende-se nas ramagens do inconsciente, adoece-nos.

— E cá estou eu, minha querida amiga, abrindo as comportas da minha vida. Tem sido muito importante dar encaminhamento aos excessos que guardei, deixar partir os sentimentos que dilatei, superdimensionei, tudo porque queria sofrer além do que deveria, como se isso pudesse despertar em Augusto a piedade que o traria de volta.

— Exatamente, Sofia. Foi isso que você fez. Que bom que a verdade está lhe soando natural. Mas há uma coisa que ainda não lhe perguntei e que gostaria de saber.

— Claro!

— Como foi que Augusto lidou com o desaparecimento do filho? Ele veio ao Brasil, encontrou você, participou ativamente das buscas?

— Sim, ele veio. Mas não nos encontramos. Como já lhe disse, ele nomeou um advogado que sempre intermediou as necessidades que tínhamos em comum. É claro que com o tempo elas foram diminuindo. Augusto continuou pagando todas as despesas da casa, bancando a vida do Gustavo. A mim ele deixou uma pensão generosa. No início eu não queria, mas, tão logo percebi que não conseguiria voltar ao trabalho, cedi, aceitei. Assim que o desaparecimento aconteceu, o comunicado lhe foi feito. Augusto ficou no Brasil o tempo que pôde. Acho que uns vinte dias. Depois acompanhou a distância. O advogado o manteve sempre atualizado, mas ele certamente deve ter resolvido o desaparecimento de uma forma definitiva. Ele sempre foi muito prático. Pelo que dele conheço, certamente assimilou que o menino morreu, que o corpo jamais seria encontrado, e que precisava seguir sua vida.

— E como o fato o impactou?

— Nunca ouvi dele, mas eu acredito que não muito. A alienação parental que eu fiz foi muito bem-sucedida. Gustavo nunca quis contato com ele. Até o que materialmente recebia do pai não lhe despertava gratidão. Usava como se desconhecesse a origem do dinheiro. Havia muito rancor. Augusto tentou de todas as formas, mas depois desistiu.

— Ele teve filhos com a outra?

— Teve. Um casal. Tudo indica que ela já estava grávida, pois o filho mais velho da relação tem a mesma idade que a nossa separação. Certamente a nova família o preencheu emocionalmente. Deve ter sofrido muito no início, mas depois, mediante o péssimo tratamento que Gustavo lhe dava, acredito que tenha fechado o ciclo da perda, convivendo bem com a ideia de que sua família era aquela que estava ao seu lado.

— E quando foi que você percebeu que o vínculo havia sido encerrado?

— Uns quatro anos depois, quando ele mudou o número dos telefones e nunca nos passou os novos. Hoje, por exemplo, só consigo acessar os números públicos que a ele estão ligados. Como ele deixou de clinicar, pois tornou-se pesquisador, poderia ser encontrado por meio dos telefones do departamento que preside, em Harvard.

— Você tem vontade de falar com ele?

— Já tive. Muita. Mas não assumia. Hoje eu não sei. Talvez falasse outras coisas, de outra forma.

— Gostaria que eu providenciasse isso?

O silêncio se impõe, prevalece sobre a resposta que não sei dizer. Eu já havia perdido todas as chaves que me poderiam fazer chegar ao Augusto. Os caminhos foram ruindo aos poucos. Uma erosão provocada pelo tempo, pelo distanciamento que impõe o descaminho. Mesmo sabendo que poderia localizá-lo por intermédio do advogado, nunca mais o fiz. Tudo na vida a gente aprende. A mesma regra aplica-se ao desaprender. As habilidades atrofiam-se, a coragem recolhe-se, reassume o estágio primeiro, quando tudo é semente, broto miúdo que requer bom tempo para vingar.

— Gostaria, Sofia?

Olho para Ana. Eu sei que não preciso dizer. Tudo está escrito em mim. O mesmo rosto é a lousa onde a alma desenha o texto.

— Pois então faremos isso, meu amor! Vou fazer um primeiro contato, dizer tudo o que está acontecendo. E ouvir. Depois, diante do que sinceramente lhe direi, você decide.

— Está certo, Ana. Será melhor assim.

— Por ora, mergulhe no oceano de Proust. E coloque equipamento de mergulho. É profundo demais para ser acessado sem ajuda.

⋆⋆⋆

Uma semana se passou. Os tumores continuam em mim mas, miraculosamente, não tenho dores. Os desconfortos são mínimos. As medicações são capazes de concederem sossego e bem-estar. Não consigo me desprender do livro. Ana tem razão. A alguns artistas foi concedido o poder régio, aquele que se expressa na incomum fecundidade da obra que produz. Quando nós o identificamos, do artista nos tornamos súditos, pois a profundidade com que acessa os sentimentos do mundo nos permite identificar nele uma espécie de comando, autoridade. Proust é inegavelmente um dos maiores escritores de todos os tempos. Estou arrebatada pela obra dele. A propriedade com que ele descreve uma cena, ampliando seus detalhes, narrando com esmero cada movimento dos personagens, coloca-nos sensorialmente num tempo que não nos pertenceu. Digo mais: a delicadeza com que adentra o mistério dos sentimentos humanos, concedendo verbo ao que antes só conhecíamos imerso em silêncio, proporciona-nos a proeza de ressentir, reacender os sentimentos que um dia já estiveram no céu de nossa boca e que agora estão na carne imaginada que tão literária e fielmente ele nos retrata. O encontro do vivido com o descrito é uma das experiências mais prazerosas que já experimentei em minha vida. Um prazer que não me chega pelas vias dos sabores, do descanso ou da sexualidade, talvez o mais aclamado de todos os prazeres. Mas um prazer intelectual, quando a inteligência, em profunda comunhão com a sensibilidade, encharca o corpo de satisfação, doce deleite que costumamos reconhecer como felicidade.

A descrição que Proust faz do ciúme que Charles Swann sente de Odette,[14] a mulher que ama, é visceral. Sua destreza literária nos faz vestir a pele de Charles, mergulhar no abismo da desconfiança, da insegurança e do medo. É o ficar sob a sombra do amor, do contraditório que o sentimento inspira. Ou outra percepção da pertença, não sei. Um olhar mais apurado sobre a posse que o desconforto sugere, um desvirtuamento do vínculo. Tudo o que já sabemos sobre o ciúme no texto se confirma, como se finalmente encontrássemos a capacidade de dizer o que nos ocorre quando somos envolvidos por suas tramas. Chega a doer. Uma dor oriunda

---

14. Charles Swann e Odette de Crécy – que após se casar se torna Odette Swann – são personagens de grande destaque nos primeiros volumes da obra *Em busca do tempo perdido*.

das memórias, dos registros inconscientes, da pessoa que em nós foi traída. Proust é um mestre em contar histórias. E tem sido um prazer inenarrável ocupar os últimos dias de minha vida com a precisão elegante de seus arranjos literários.

Ainda há pouco Ana estava comigo. Não percebi sua saída. Eu continuo com a habilidade de me desprender do mundo, ser alçada por uma realidade paralela, capaz de me fazer abstrair de tudo o que materialmente me cerca. É como se o tempo do corpo já estivesse em desalinho, sala esvaziada, impregnada pelo aspecto de fim, como quando restava no chão do terreno os buracos onde ficaram as estacas que sustentavam o circo.

Hoje, a minha percepção se reserva aos estados da alma. Basta uma solicitação e tudo em mim passa a se ocupar do imaterial que me habita.

Volto à leitura. A arte me entorpece. O êxtase que ela provoca é um abraço que me envolve com a generosidade do esquecimento. É uma redenção poder esquecer do que em mim é insuficiente, ainda que temporariamente. E nem chega a ser alienação, pois do arrebatamento eu retorno melhor, mais leve, com menos fardo para mim mesma. É como se nem houvesse doença em mim.

★★★

A luz da manhã é uma poesia que me põe nos braços da gratidão. Amanhecer é movimento místico, desenlace que retira a noite das torturas dos breus, colocando um respiro de luz nos pulmões da vida.

O tempo passou. O meu bem-estar prevalece. Continuo desafiando a previsão de que teria muito pouco tempo de vida. Três meses me separam da minha entrada no hospital. A doença avançou, já está nos ossos, mas eu não a percebo em sua gravidade. A previsão foi de que as dores se tornariam intensas, porém continuo com as dosagens mínimas de morfina.

Os médicos não conseguem entender muito bem, mas eu e Ana, sim. Sabemos exatamente o que se passa comigo. A doença me trouxe um novo entendimento sobre mim. A partir dele eu desenvolvi uma forma diferente de lidar com o meu corpo. Estou mais proprietária de meus comandos. Isso faz com que a mente se submeta melhor às minhas ordens. Ana incluiu em minha rotina aulas de ioga e meditação. A professora é Regina Malati, uma mulher sábia e extremamente habilidosa em reconciliar corpo e espírito. As aulas estão me permitindo uma maneira inédita de lidar com minha corporeidade. A consciência física abre os portais das outras consciências, abrange, dilata o que de mim julgo possuir o comando de tudo.

Já estou no penúltimo livro da obra de Proust. Passei dias e noites sem conseguir interromper a leitura. Ana me auxilia. Faz questão de discutir tudo comigo. Às vezes lemos juntas, em voz alta. A voracidade com que quero terminar a leitura não tem a ver com a escassez do tempo que me resta. Não, o que me faz não querer parar é a obra em si, a trama envolvente, o bem espiritual que ela me concede. É claro que não posso desconsiderar que estou num embate cronológico com a vida. O tempo está irresistivelmente fazendo o seu trabalho em mim, ceifando-me minuto a minuto. Estou consciente disso, mas a dedicação à leitura é puro exercício de escolher o que me faz bem. Tem sido uma conquista tardia, ou não. Nunca sabemos qual é o tempo exato para cada coisa. Ultimamente tenho sido muito seletiva. Escolho o que ver, o que sentir, o que pensar, ouvir e dizer. A convivência com Noêmia e Ana é pura qualidade. Estamos nos divertindo. Nossos momentos juntas me acalmam, me aliviam. De vez em quando, Carmela se junta a nós. Vem, cuida dos meus cabelos e das minhas unhas. No outro fim de semana ficou conosco. É uma boa companhia para Ana, que não reclama, mas sei que está cansada. E, enquanto penso nela, ouço seus passos entrando no quarto.

— Bom dia, minha amiga querida! Vi que teve uma noite maravilhosa de sono.

— Sim, Ana. Dormi profundamente. Estou muito descansada.

— Que bom! Você estando bem todos nós ficamos também.

— Muito obrigada!

— Noêmia já preparou o café. Vamos lá apreciar as gordices de hoje.

— Vamos.

Embora o meu apetite não seja como antes, não posso reclamar. Tenho conseguido comer de tudo um pouco, o que os médicos também não entendem, pois já era para eu estar absolutamente indisposta aos alimentos. Como pequenas porções, Ana me dá as medicações que aceleram a digestão, e assim vou conseguindo viver.

Noêmia me abraça antes que eu tome lugar à mesa. Todo dia pela manhã ela repete esse gesto. No tempo em que trabalhou em minha casa ela só me abraçava em dias de comemorações. Sempre muito respeitosa, educada, mas sem muito contato físico. O meu estado de solidão deve ter lhe concedido essa licença. É muito bom perceber as aproximações que a morte nos proporciona. O tempo se esgotando nos desobriga dos escrúpulos.

— Sofia, eu preciso que você me ajude a decidir uma coisa.

— Claro, Ana.

— Eu falei com Augusto. Ele já sabia de seu estado. Disse que o advogado já o estava informando sobre tudo.

— Mas como o advogado soube que estou doente?

— Eu contei, meu amor. Ou você acha que eu espero que as coisas aconteçam?

— Mas como você teve acesso a ele?

— Veja bem, já que você nunca fez questão de nos dar as informações, no dia em que fomos à sua casa nós ouvimos todos os recados que estavam na secretária eletrônica do seu telefone fixo. Aliás, a senhora deve ser a única pessoa na face da terra que ainda tem uma geringonça dessas em casa.

— Tenho até aparelho de fax.

— Sim, eu vi. Já encaminhei tudo ao museu. Mas havia alguns recados dele. Eu ouvi, identifiquei o número, e desde então o mantive informado.

— Obrigada, Ana.

— Ele disse que enviou inúmeras mensagens ao seu celular, mas que você nem chegou a receber.

— Sim, eu desativei o meu número. Só uso o celular para ter acesso ao dicionário. Mas você fez bem em avisá-lo.

— Sim, eu sei que fiz. E talvez nunca lhe contasse, mas, como surgiu a possibilidade de falar com Augusto, agora lhe conto a verdade.

— E qual é?

— Desde o momento em que ele soube que estava doente, Augusto quis vir ao Brasil para ver você.

A frase de Ana me invade, entra pelos poros, corre dentro de mim, amplia cada centímetro do meu corpo. Ela percebe, ela sabe. E a pausa que faz é absolutamente consciente, respeitosa, pois sabe que estou ouvindo o que a vida inteira pretendia ouvir. O passo que tanto desejei, o movimento que tanto esperei. Antes porque queria recolocar tudo no lugar, reorganizar a casa, expulsar a solidão, superar o abandono, reatar o casamento. Mas agora, não, a satisfação é outra. Saber que alguém se interessou por mim. Mais que isso. É a possibilidade de reencontrar o homem que ainda amo, mas agora sem mágoas, reconciliada com o fato de que nossa vida não foi como eu queria, que houve erros, falhas. Reencontrar Augusto de outra forma, diferente da última vez em que nos vimos. Ter a oportunidade de ver reabrir a porta, não para reatar o casamento, mas para pedir perdão, ouvir o que ele também tem a me dizer.

— E nós vamos ligar para ele?

— Temos duas opções. Ligamos agora e vocês se falam, optando por uma situação que talvez possa ser mais confortável para você. Mas preciso lhe dizer que não é o que ele prefere.

— E o que ele prefere?

— Vir pessoalmente.

— Meu Deus, Ana! E quando seria isso?

— Sofia, ele tinha tanta certeza de que eu convenceria você do segundo formato, pois sabe o quanto sou competente e convincente, modéstia às favas, que ele já está no Brasil. Só precisamos avisá-lo para que venha.

— Ana, eu não sei o que escolher, confesso.

— Claro que sabe, meu amor. Aliás, você já escolheu. Sempre quis o reencontro. Antes porque tinha outras intenções, outros propósitos, por isso o universo não conspirou a seu favor. Agora não. O que a faz querer o reencontro é nobre, elevado, e por isso o universo está lhe abrindo as portas.

— Ele virá sozinho?

— Como você quiser. De qualquer forma, Maria Clara, a esposa, veio com ele. E também demonstrou o desejo de vir. Quem decidirá é você.

E, como se tudo em mim estivesse pronto e esclarecido, como se nenhuma sombra de dúvida estivesse sobre a lucidez de meu desejo, o querer à flor da pele, sem obstáculo, imediatamente eu respondi:

— Ótimo. Quero receber os dois.

— Eu sabia que seria assim, minha amiga. Sua grandeza de alma não lhe permitiria outra decisão. E será muito bom pra você.

— Sim, eu sei que será.

— Você se preparou para isso. Mesmo sem saber que aconteceria, você iniciou em si uma reconciliação que agora lhe permite realizar o encontro.

— Tenho certeza disso, Ana.

— Vamos fazer o seguinte. Vamos criar um rito. Eu gosto do número três. Contaremos três dias, a começar de amanhã. E então você os recebe. Pode ser?

— Pode.

— Não sofrerá com a ansiedade? Caso esteja indisposta à espera, fazemos logo.

— Não, não será um problema. E gosto da ideia de criar um ritual de espera. A alma precisa de simbolismos.

— Vamos construir esse simbolismo juntas. Hoje, por exemplo, sugiro que você não perca de vista os significados do seu encontro com Augusto. Amanhã, dedique-se a pensar no significado de seu encontro com ela. E, no terceiro dia, nada de pensar, refletir ou conjecturar o que quer que seja. Será um dia de beleza. Carmela virá cuidar de tudo. Quero que você esteja linda para o jantar que daremos a eles.

A proposta de Ana é simples, mas tudo faz sentido. Quero encontrá-los depois de ter digerido tudo o que diz respeito a cada um deles. Assim estarei menos fragmentada, mais na posse de mim e de tudo o que deles eu alimentei durante todos esses anos.

— E agora, o que pretende fazer?

— Voltar imediatamente à leitura. Assim que terminar o café, voltarei ao quarto. Sei que o livro me dará os caminhos de que preciso para pensar sobre o significado de meu encontro com Augusto.

— Perfeito. Enquanto isso, vou com Noêmia às compras do que precisaremos para o jantar. Já pedi que o hospital deixe alguém com você, caso precise de alguma coisa. Tem sugestão de cardápio?

— Não, Noêmia conhece bem os gostos dele. Saberá dizer tudo por mim.

— Combinadas. Assim que terminarmos o café, deixo você acomodada, sob a tutela de Proust.

— Obrigada, Ana. Não poderia ficar em companhia melhor.

***

A hora da morte é incerta. É o que costumamos dizer. Dizemos e naturalmente nos esgueiramos de um enfrentamento terrível, fato que dificilmente ganha a centralidade de nossas percepções: a possibilidade de que a nossa hora tenha chegado.

Ainda que saibamos que a morte nos ronda, não é sempre que podemos ouvir os ruídos de sua aproximação. Até os que estão em estreita convivência com ela, os que vivem as fases terminais, provocadas por doenças definitivas, finalizantes, nem imaginam que em poucas horas a medicação não fará mais o seu efeito e que o organismo sucumbirá.

Mas ela também se impõe ao que goza de aparente perfeito estado de saúde, ao que ingenuamente prepara o seu dia, estabelece conjecturas, sem ao menos imaginar que o coágulo que interromperá os seus planos já começou a se deslocar.

Uma pessoa pretende chegar ao outro lado da rua. Alguém a espera para tomar um café. Está a alguns metros do que pretende viver. Enquanto aguarda o sinal abrir, envia pelo celular uma mensagem: "tô chegando". Mas, tão logo coloca os pés na rua, é imediatamente atingida por um carro que ultrapassou o sinal fechado. O corpo se estende no chão. A vida se esvaiu, não houve tempo para que as xícaras brancas fossem tingidas pelo negro do café. A hora incerta se estabeleceu de forma abrupta, inesperada.

É no incerto que nos firmamos. É ele que torna suportável a convivência com as sombras do desconhecimento. Embora eu seja um ser morrente, vivo como se não fosse. Boa parte de meu tempo é vivida sob os disfarces da permanência, como se nada em mim fenecesse, ruísse, prescrevesse.

A minha hora está próxima, mas mesmo assim continua incerta. Não sei se saberei perceber a sua chegada. Creio que sim. Mas algo me diz que não será hoje. Há um fluxo de vida que me inspira um futuro que não é mensurável. Quando estamos vivendo bem, o conceito de tempo fica relativo, perde sua imposição.

O dia está bonito. A temperatura fria coloca ainda mais intensidade no azul do céu. Estou no alpendre. Ando devagar. A generosidade do meu corpo tem sido surpreendente. Embora eu esteja em franca decadência, sendo interiormente vencida pelos tumores que crescem em mim, minha exterioridade sofre um processo contrário. Reassumi o viço de antes. Embora mais magra, reencontrei a beleza de outrora. Meus cabelos estão mais bonitos, minha pele mais luminosa, como se em minhas veias corresse um rio de luz, concedendo à pele uma luminosidade portadora de juventude. Embora eu saiba que nada foi alterado em meu diagnóstico, é como se a doença não existisse mais.

Mas há algo que reconheço. O câncer me redimiu de outras enfermidades. E eram elas que me envelheciam. Sinto que o rancor se despediu de mim, partiu, deixou de exercer comando sobre minhas atitudes, palavras, pensamentos. Com ele foram minhas ansiedades, sobretudo a de querer saber o que aconteceu com meu filho. Hoje, ainda sem saber o que houve, consegui oferecer repouso às minhas perguntas. Elas me torturavam. Elas me retiravam o sono, pois ficavam constantemente sendo escritas diante de meus olhos. De repente, por motivos que desconheço, a vida colocou um ponto de desvio entre mim e elas, uma intersecção que me oferecia outros caminhos, deixando de me obrigar a percorrer o mesmo de sempre. Sinto que fiz a substituição clássica, deixei de querer saber o que aconteceu e passei a pensar em como poderia resolver dentro de mim o fato de que não existia uma resposta para as minhas perguntas. É interessante, o tempo faz com que a ponta da espada perca o formato que permite o corte. Assim é a dor emocional. O tempo lhe retira o poder de ferir, restando apenas as lições que nos ensinam as cicatrizes.

Mas o que acelerou a mudança do formato da espada? A resposta surge com a mesma intensidade da pergunta. O viver na essência, o habitar em mim, as escolhas que me fizeram desinteressar-me pelas vielas sombrias dos questionamentos inférteis, fazendo-me perceber e querer as vias iluminadas dos propósitos.

Teria descoberto isso se não tivesse ficado doente? Certamente não, muito embora pouco podemos dizer sobre o que seria fora das circunstâncias que nos permitem viver os propósitos. Mas sem a doença eu não teria paralisado a rotina que devorava minhas energias, eu não teria sido colocada diante do espelho em que pude me ver, reconhecer os longos anos vivendo onde o ódio foi inventado. Sem a doença eu não teria conhecido Ana, a grande responsável pelos partos que vivi. Partos que fizeram nascer, partos que fizeram morrer. Às vezes é preciso permitir que venham à luz e só depois estrangular os frutos que não podem continuar recebendo o empenho da vida.

Antes de vir para o hospital, eu não tinha amigos. Ninguém podia me acessar de forma terapêutica, propondo-me novas condutas, oferecendo-me conselhos, quebrando comigo os paradigmas que havia muito ofereciam alicerce à minha ignorância emocional. Eu não desfrutava de uma ambiência afetiva saudável. Eu estava no cárcere que durante anos erigi. As muralhas eram imensas. Os poucos contatos que tinha estavam ligados à minha busca por Gustavo. O delegado, o advogado que representava Augusto. Presenças técnicas, pontuais, absolutamente distantes do que podemos compreender como amizade. Ao atribuir ao delegado o status de amigo, eu o fazia sob as consequências do flagelo da solidão. Qualquer afeto reluz ouro quando se habita o monturo das emoções. É claro que ele nutria compaixão por mim. Ficou sensibilizado com minhas perdas, mas não me desafiou a reconstruir um só centímetro de minha vida.

O que Ana me ofereceu foi inédito para mim. Nunca havia sido tão profundamente tocada num relacionamento de amizade como fui por ela. Ela me acolheu, me expulsou, me fez sentir, ressentir, pensar, avaliar, reavaliar. Num curto espaço de tempo ela me fez passar pelo vale da morte, consciente, sem ilusões, inteira, na essência. Sem "dolorismo", sem vitimismo, ela me ajudou a olhar sem medo para a mulher que minhas perdas haviam construído. E ela me fez perceber que, antes de morrer, eu precisava fazer morrer a mulher que me tornei, aquela que não correspondia à minha essência. Uma mulher amarga, infeliz, infiel a si mesma, cruel consigo e com os outros.

Hoje, ao andar por este alpendre, percebo que ando sozinha, única, não mais dividida. Ando sobre dois pés, reais, raízes no chão, sem dispersão de força. Deixei de ser território de invasão, assentamento. Deixei de morar em casa alheia, repatriei o que de mim vivia alhures, desalojei a intrusa, dispensei o fardo de ofensas, as incontáveis razões que julgava ter para me sentir ofendida.

Hoje, quem caminha sou eu. A mulher que morre, mas inacreditavelmente viva, sou eu. A morte, quando chegar para me colher, será recebida por mim.

Antes, quando vivia sob o comando da outra, eu me reduzia a um espectro, um ser sob ordem, como se cumprisse pena num calabouço, atada e subjugada às vontades da outra que exercia a liderança.

Hoje, quem anda sou eu. Não sou levada em andor. Quem me leva sou eu. Sem favores, sem andores, sem mecanismos.

Sou orgânica. E estou consciente de minha condição. Sou um organismo que morre aos poucos, despede-se da história, do tempo, do espaço, mas em harmoniosa confluência com a fonte que me origina. Estou na essência, estou na verdade. Nada me dispersa, tudo me reúne. Não há um só centímetro de mim que não esteja sob a custódia de minha jurisdição.

★★★

Os três dias se passaram. O ritual proposto por Ana aconteceu sem que para isso eu me esforçasse. Meu coração se confrontou naturalmente com os significados dos encontros que viveria. Augusto e Maria Clara. Um dia para cada um. Não foi difícil viver o ritual. A alma se rende espontaneamente quando está consciente de que tudo está terminando. Resta-lhe viver bem. Só isso. Não alterei minha rotina, passando boa parte do tempo ocupada com a leitura do livro. Estou no último volume, *O tempo redescoberto*. O roteiro da obra coincide com o roteiro que estou vivendo. Morrer é um verbo que impõe outros. Recordar, por exemplo. Reunir as memórias, recolocar na sala da vida os acontecimentos que precisam ser reinterpretados, celebrar tardiamente as alegrias que foram negligenciadas, conceder perdão aos que precisam ser perdoados, derramar esquecimento sobre os que precisam ser esquecidos. A morte nos impõe uma pauta. E é inteligente obedecer a ela.

Hoje, tão logo o dia amanheceu, Carmela veio arrumar os meus cabelos. Cortou, renovou a tintura, escovou e me fez sentir bonita, reconciliada com o que o espelho me mostra. Já são seis horas da tarde. Estou a poucas horas de meu encontro com eles. Estou serena, em paz. Nenhuma ansiedade me ocorre. É como se o acontecimento não fosse mais importante. O tempo fez o seu trabalho. Irresistivelmente. Ele sempre o faz. A doença também. O que identifico do encontro em mim é a sua desnecessidade. Eu poderia morrer sem ele, reconheço. Mas sei que será bom experimentá-lo. O que antes eu desejava ardentemente agora bate à porta com delicadeza, sem urgência, encontra-me deserta de expectativas. Quero, mas um querer que não dói, que não impõe desconforto. Um querer livre, alforriado, desobrigado, porque não é mais imposto pela infelicidade. Bom sinal. Deixar de desejar, ou melhor, desejar sem as cadeias dos determinismos impostos pela vontade, é um sinal de evolução espiritual. Despir-se de expectativas, desacelerar o movimento dos desejos, acolher o que da vida vier, e só.

Sinto-me assim. O que tenho são algumas perguntas. Como será reencontrar o homem que durante tanto tempo eu acusei de ter destruído a minha vida? Como será recolocar os olhos na mulher que elegi como origem de todos os meus algozes? Não sei. O que sei é que, se o encontro não acontecesse, tudo bem, eu seguiria tranquila.

Eu não preciso mais dele, mas ele acontecerá. Que bom! De tempos em tempos, o extraordinário se faz necessário. O extraordinário de hoje me colocará diante do grande amor de minha vida. Depois de longos anos sem o ver, sem o ouvir, terei a oportunidade do reencontro. E ele não virá só. Trará a mulher que preencheu os vazios que eu não soube preencher.

Eu não faço ideia de como isso será. O que sei é que estou inteira para quando eles cruzarem os umbrais da casa que se tornou minha.

★★★

Ouço passos no alpendre. Ouço vozes. Um frio invade o meu corpo. Sem que eu tenha tempo para administrar o que em mim ocorre, percebo que Ana se aproxima da porta de meu quarto. Ela dá um toque e entra.

— Sofia, eles chegaram.

Eu nada digo. O frio persiste no meu corpo. Estou trêmula. Ana se aproxima e me abraça.

— Vai ser bom.

— Eu sei.

— Precisa de quanto tempo? Posso dizer a eles que você ainda não está pronta.

— Não, eu já estou pronta. Levei anos para ficar pronta. O tremor que agora me ocorre é natural, Ana. Eu estava tranquila demais para ser verdade.

— Mas você está tranquila, meu amor. O que agora está acontecendo é que seu coração adolescente assumiu o comando. Recorda-se da canção que diz que é "desconcertante rever o grande amor"?[15]

— Sim, e a música tem toda razão.

— Vamos lá, minha amiga. É muito nobre de sua parte aceitar recebê-los.

---

15. "Anos dourados", canção de Tom Jobim e Chico Buarque.

— Vai ser bom, Ana.

— Sim, já está sendo.

Ana me toma pelo braço. Não preciso, mas ela o faz. O gesto é simbólico. O que ela ampara em mim não é físico. É minha alma que ela toma pelos braços. A distância que preciso andar é pequena, mas antes dela eu andei muitas outras, imensas, exaustivas. Os poucos metros que agora me separam dessas pessoas é mínimo. Mas só Deus sabe o quanto eu precisei andar para ser capaz de ir recebê-las agora. Meus caminhos interiores, meus descampados, meus ermos, todos eles devidamente transpostos, possibilitando-me andar o que agora ando.

Respiro fundo e entro na sala. Com meu vestido vermelho, estampado de flores azuis, com meus sapatos também azuis, de salto, como se estivesse pronta para uma grande festa. Entro com toda a autoridade que me concede a essência. Sinto-me bonita, proprietária de cada milésimo de minha história. Entro solitária, perdoada, sem a intrusa que durante anos subjugou a mulher que sou.

Augusto e Maria Clara estão em pé. Ambos estão bonitos, bem-vestidos. O tempo foi favorável aos dois. Sobre o semblante de Augusto o tempo derramou serenidade. O olhar inquieto deu lugar a um olhar que já se aquietou, descobriu seu lugar. Maria Clara está ainda mais bonita que na juventude. A maturidade lhe concedeu belos favores. Há uma elegância que só o tempo nos ensina. E ela aprendeu.

Olho para os dois e consigo sorrir. Sem esforço, sincera, natural, porque estou inteiramente consciente de que me sinto feliz com o encontro.

— Sofia!

— Augusto!

— Oi, Sofia. Obrigado por nos receber.

— Oi, Maria Clara. Obrigada por terem vindo!

— Mas você está tão bonita, nem parece que está...

— Morrendo...

— Não, pelo amor de Deus! Eu quis dizer que você não parece estar doente.

— Mas estou, Augusto. Mas não me sinto.

— Não parece mesmo. Eu vim achando que me depararia com uma situação completamente diferente.

— Mas eu estava. Desde que deixei o hospital e vim morar aqui, algo aconteceu, como se a vida me permitisse uma revitalização exterior, muito diferente de como estou por dentro. Mas, cá entre nós, Ana é a grande responsável por essa saúde toda.

— Eu, não! A grande responsável por tudo isso é Sofia, Augusto. Entrou no hospital há três meses, mas hoje ela está mais viva do que quando ainda desconhecia a doença. Tem vivido um processo de reconciliação com a vida, com o passado, e isso lhe trouxe o viço que agora vocês presenciam.

— Sim, eu estou surpreso. E também feliz por vê-la tão bonita, tão bem.

— Obrigada, Augusto. E que bom que vocês estão aqui. A casa foi improvisada, mas eu estou perfeitamente aconchegada.

— Sim, estou até reconhecendo este sofá, esta mesa...

— Busquei o que pude, Augusto. Queria que Sofia tivesse parte de seus significados ao alcance dos olhos.

— Muito generoso de sua parte.

— Ana me inspira generosidade. O tempo todo. Ela parou a vida para cuidar de mim.

— Mas também estou sendo cuidada por você, meu amor.

— Então está sendo um cuidado mútuo.

— Exatamente, Augusto. Nós estamos cuidando uma da outra. Mas Sofia tem precisado pouco de mim. Está autônoma, coisa que no início da internação era impossível de imaginar. Ela não evoluiu como imaginávamos. A gravidade de seu estado não se manifesta no que temos enxergado.

— E a que se deve isso?

— Mistério, Maria Clara! O que sabemos é que Sofia tem vivido dois caminhos opostos. De um lado, o câncer avança diariamente, mas, de outro, o corpo não parece sofrer com o avanço. Os médicos não entendem, eu já desisti de tentar entender. O fato é que estamos aqui, recebendo vocês, e com um jantar maravilhoso que Noêmia preparou.

— Noêmia? A nossa Noêmia, Sofia?

— Sim, Augusto. Até isso a Ana conseguiu. Retirou Noêmia do interior e a trouxe para ficar comigo.

Ana vai até a cozinha e volta trazendo Noêmia. Augusto se emociona. Não diz nada. Limita-se a abraçar Noêmia, que também pouco diz.

— Que saudade, doutor Augusto!

— Eu também, Noêmia. Mas continua me chamando de doutor...

— Ah, essa batalha eu também já perdi. A mim ela só chama de dona Ana. Mas vamos nos sentando, pois o jantar já está servido.

Todos se acomodam. Olho para os recém-chegados e os contextualizo em mim. Sou uma grande praça vazia, arejada, ampla, pronta para receber quem quer que seja. O impensável está acontecendo. Estou recebendo Augusto e sua mulher. A mulher que me substituiu, a mulher que imaginei perversa, ladra e insensível, agora está aqui, diante de mim. Mas de um jeito inédito, burilado pela alvenaria das horas, dos dias, do processo terapêutico que transforma as catástrofes em meras tristezas. O império do tempo, as mãos invisíveis que bordam as soluções, as interferências delicadas que permitimos a Deus. É assim que vamos nos desconstruindo, ruindo as barricadas de ódios, monturos emocionais que vão colocando obstáculos entre nós e a felicidade.

Maria Clara está aqui, ao meu lado, ao alcance dos meus olhos e das minhas mãos. Quantas noites eu a imaginei inimiga, invadindo minha casa, roubando meu filho e incendiando minhas memórias. Dela fiz um fantasma, uma sombra constante sobre mim. Mas agora ela está aqui, solar, leve, absolutamente incapaz de me fazer mal, inteiramente disposta a me receber, desfazer o que um dia foi conflito, convencendo-me de que nela há um recanto de aconchego a mim reservado.

Nada do que enxergo hoje corresponde ao que imaginei no passado. Maria Clara tem expressões leves, educadas e gentis. O rosto harmonioso é a porta por onde sua alma estende a toalha, prepara a mesa, oferece o banquete. Ela não é o monstro que sempre imaginei. Não é porque nos machucaram que as pessoas sejam más ou cruéis. E foi o amor, quem é que pode controlá-lo? Ele não aceita doma, ele não se subjuga aos nossos comandos.

Sei que não terei futuro que me permita, mas, caso tivesse, estou certa de que ela me permitiria acesso à vida de sua família. Seria estranho, eu sei, mas talvez fosse bom. Perdoar e incorporar à minha vida os que foram perdoados. Conjecturas que não alteram o que sei: estou morrendo. Os pensamentos que me ocorrem podem parecer absurdos, ou desnecessários, mas não são, eles brotam com a espontaneidade de quem tem a alma livre, pertencente ao céu dos que foram reconciliados.

— Sofia, viu que interessante, o Augusto também recebeu uma correspondência do delegado Miguel Sampaio. E na mesma época em que você sofreu o acidente e perdeu o envelope.

A voz de Ana interrompe o meu devaneio. Estava absolutamente alheia ao que eles falavam. Fiz o tradicional desligamento, o que me permite estar sem estar. O retorno me faz perceber que é sobre Gustavo que eles estão falando.

— Você também se comunicava com o Miguel?

— Sim, desde o início das investigações. Ele nunca lhe falou?

— Não, eu nem sabia que ele tinha seus contatos.

— Tinha. Como você sabe, acompanhei tudo de perto no início, mas um tempo depois coloquei o Rafael, meu advogado, para acompanhar. Mas eu sempre falava com o Miguel.

— Você soube que ele morreu?

— Soube. Eu falei com ele um dia antes.

— Ele lhe falou que tinha notícias do Gustavo?

— Sim, falou ao telefone, disse que finalmente havia finalizado as investigações, mas depois recebi os documentos pelo correio. Recebi uma semana depois. Quando retornei, soube que ele tinha sido assassinado.

Não sei como proceder. Estou diante da resposta que tanto quis saber. Estou diante do homem que pode, finalmente, resolver o conflito que tanto drenou minhas energias. Augusto, o pai de meu filho, está sentado à minha frente e sabe o que aconteceu com nosso filho.

— Ana estava me dizendo que você não chegou a abrir o envelope que Miguel havia deixado para você.

— Não, não abri. Foi com ele nas mãos que eu perdi os sentidos quando estava diante do portão lá de casa. Acordei dias depois, já no hospital. Ninguém soube me dizer o paradeiro do envelope.

— Pois então, Sofia, o delegado Miguel finalmente conseguiu...

— Por favor, Augusto, não diga. Pode lhe parecer estranho. Durante os últimos anos de minha vida eu só vivi para saber o que aconteceu com Gustavo. Gastei meu tempo, meus afetos, meu corpo, minha alma querendo descobrir a verdade. Qualquer coisa que me oferecesse uma resposta. Ainda que fosse saber que ele está morto. Mas agora, sabendo que você sabe, tenho a tentação de não querer saber...

— Mas seria importante você fechar esse ciclo, Sofia. A verdade é um direito que você tem.

— E se eu disser que o não saber também é um direito? Augusto, eu estou vivendo o fim. Esta vivência modificou meus caminhos interiores. Modificou também minhas pressas, minhas urgências, minhas prioridades.

— Mas o Gustavo sempre foi a sua prioridade.

— Sim, continuou sendo por muito tempo. Mas eu precisei mudar. E hoje não é mais importante para mim abrir aquele envelope.

— Entendo, Sofia.

— Há questões mais importantes, Augusto. Pedir perdão a você, por exemplo.

— Não há nada para perdoá-la, mas eu preciso lhe pedir perdão.

— Não, Augusto, não me retire este direito. Tão logo você se foi, a mãe que fui para Gustavo tornou-se uma mulher cruel. Não que eu tenha escolhido me tornar, mas aconteceu. A dor falou mais alto, faltou oportunidade de confronto. O fato é que eu o afastei de você, plantei um oceano de distância entre vocês. Mas, graças aos meus últimos dias, essa mulher morreu. Eu tenho sepultado diariamente a mãe que restou a Gustavo, e que fazia tanta questão de reencontrá-lo. Hoje, ao saber que você pode me responder o que aconteceu com ele, percebo que essa resposta seria importante à outra, àquela que estou fazendo questão de sepultar. Mas, veja bem, apenas uma pergunta eu preciso fazer. De acordo com a finalização das investigações, existe algo que eu ainda possa fazer para reencontrar Gustavo?

— Não, infelizmente, não.

— Pois então fico melhor assim. Eu não quero ouvir o que já sei.

— Mas não lhe interessa mais saber o que aconteceu?

— Não, Augusto, não é questão de interesse, mas de preservação de um mistério que à minha essência faz bem.

— Como assim, Sofia?

— Simples. A mulher que essencialmente sou, e que estava sufocada pela que me tornei, mas que agora estou resgatando com a rotina que estabeleci ao lado de Ana, é afeita aos mistérios. Ela gosta mais de perguntas do que de respostas.

— Sim, você era assim quando a conheci.

— Pois bem, estou voltando ao ventre. Quero morrer original, bem próxima da verdade.

— Permita-me dizer algo, Sofia?

— A palavra já está com você, Maria Clara.

— Eu a entendo perfeitamente. Nós achávamos que você já soubesse que as investigações haviam terminado. Para Augusto foi importante fechar o ciclo, porém o que você está vivendo está tão fora de nosso entendimento. Mas, ao mesmo tempo, é tão acessível. Você fala e tudo fica esclarecido, como se houvesse em sua capacidade de argumentar um elemento que auxilia a inteligência, que converte automaticamente sua fala em explicação. Eu sou mãe, você sabe. Tive dois filhos com Augusto, e entendo perfeitamente a sua escolha de não querer ter contato com o resultado das investigações.

— Maria, permita-me chamá-la assim. Tudo o que eu queria era ter aberto aquele envelope. Mas a vida não me permitiu. Até conhecer Ana, o meu pensamento só era capaz de se ocupar daquele envelope. Onde estava, quem o havia encontrado, mas, sobretudo, o que nele estava escrito. Eu sabia que algo muito importante estava registrado nele. O recado deixado na secretária eletrônica me dizia que as notícias eram importantes. Mas o envelope se perdeu. E eu resolvi aceitar a perda. Incorporei como mais uma condição que a vida me colocou. E fui ficando em paz.

— E só isso importa. Você ficar em paz.

— Maria, a proximidade do túmulo põe uma lente de aumento em nossa percepção. É como se um superpoder nos fosse misteriosamente concedido. Uma habilidade sobrenatural que Deus resolve oferecer aos que partirão em breve. E eu tenho usado bem essa habilidade. De repente, como se um vento varresse a poeira que torna turvo o entendimento, passei a ver tudo com mais lucidez.

— Eu experimento o mesmo, Sofia. Não estou doente, mas sofri perdas muito severas. Há um ano perdi meu pai, mês passado perdi minha mãe. A morte deles inaugurou um novo tempo em mim. Ver morrer os que amamos é também morrer um pouco.

— Sim, Maria, mas daquilo que morre brotam novos paradigmas, nascem novas convicções.

— E é o que percebi em mim.

— Se não estivesse vivendo isso, certamente não teria vindo com Augusto, afinal, não haveria nenhuma obrigação de sua parte.

— Justamente. Vim porque eu estou me sentindo livre para olhar para você. Não vim por piedade, acredite.

— Acredito. O seu olhar me revelou outra coisa.

— Que bom! Desde que soube de sua doença, ocorreu-me que gostaria de cuidar de você. Acredite. Falei com

Augusto. Ele achou absurdo, disse que você jamais gostaria de nos ter por perto. Quando Ana entrou em contato, compramos as passagens imediatamente. Mesmo antes de você sinalizar positivamente.

— Obrigada.

— Eu queria vê-la, Sofia, ouvir o seu lado, sentir sua dor de mãe. Sim, depois que tive meus filhos, tornei-me outra. Quando soube do Gustavo, eu imediatamente me coloquei no seu lugar. Durante esses dois anos de busca e ausência de respostas, nutri em meu coração a certeza de que um dia eu me sentaria com você. Nem imaginava que você me receberia como está recebendo. Juro, eu já tinha certeza de sua rejeição, mas algo me dizia que, se eu conseguisse chegar perto de você, eu a desarmaria. Porque eu sempre quis aliviar sua dor. Sei que não pude ajudá-la com Augusto. É até constrangedor falar sobre isso; afinal, ele deixou a família para ficar comigo. Mas hoje, como expressão de minha mais profunda verdade, se eu pudesse, eu a recolocaria nos braços do seu filho, Sofia.

— Maria, Maria. Tudo o que você me diz repercute dentro de mim. Eu acredito piamente em tudo o que você me falou. A verdade está na moldura de suas palavras. E sou grata a você.

— Posso lhe fazer um pedido?

— Claro.

— Eu posso voltar outras vezes?

— Claro, mas vocês não vão embora?

— Não, Augusto está de licença. Poderemos ficar mais uns dias.

— Será um prazer, Maria. Venha quando quiser.
— Obrigada!

Olho ao meu redor. Ana, Augusto e Noêmia se ausentaram. Estão no alpendre, onde está servido um café. Eu e Maria Clara estamos sozinhas. Não notei que eles tivessem nos deixado a sós. É interessante perceber o que estou vivendo. Todos os meus sentidos estão concentrados nesta hora. Estou conversando e sendo amada pela mulher que julguei ter destruído a minha vida. O engano se desfez. Sim, Augusto me trocou por ela. Mas foi o amor, o incontrolável fogo da paixão. É preciso perdoar todos os que se rendem aos seus descaminhos. Maria Clara está diante de mim. A cena que nunca imaginei ser possível. Nós duas no mesmo metro quadrado de mundo. Um entendimento nos alinhavando, o tricô da solidariedade nos amarrando numa mesma trama, antes feita de perdas, medos, mortes e solidão. Mas agora, como se um novo movimento se sobrepusesse à trama inicial, substituindo tudo pelas urdiduras do perdão. Maria Clara me ampara. Vamos nos juntar aos outros.

Nossas conversas fluem. Como se sempre estivéssemos juntos. Como se Augusto e Ana fossem amigos há anos, como se nunca tivéssemos nos separado. Maria Clara e Noêmia trocam experiências culinárias, não há distâncias entre nós. E assim ficamos por horas, como se o motivo de nosso encontro não existisse mais, foi diluído pelo que de nós floresceu. O instante se desprendeu do cais, alcançou o mar aberto, levou-nos em seu veleiro, concedeu-nos o sopro da novidade.

— Sofia, eu preciso lhe confessar uma coisa.
— Claro, Augusto.

— Não sei como você reinterpretará o fato, mas três anos antes do desaparecimento do Gustavo, assim que ele entrou na faculdade, nós nos reaproximamos. Ele me procurou. Marcamos um encontro, vim ao Brasil, e conversamos...

— E sobre o que conversaram?

— Sobre o que precisávamos conversar. Esclarecemos os sentimentos. Foi o mais importante. E nos reconciliamos. Eu nunca deixei de amar Gustavo. O distanciamento aconteceu...

— Porque eu provoquei.

— Não se culpe. Aconteceu. O fato é que ele estava maduro. Já tinha percebido que eu não era o monstro que parecia ser. E então ele me procurou...

— Meu Deus!

— Foi lindo, Sofia. Aquele menino me deu uma lição de maturidade.

— Vocês se falaram depois disso?

— Todo dia. A última mensagem que tenho dele foi escrita minutos antes de ele sair para correr.

— Como ele conseguiu esconder isso de mim?

— Eu pedi a ele que fizesse tudo no tempo dele. Mas um dia ele iria contar a você. Recorda-se de uma viagem que ele fez a Buenos Aires?

— Sim, com os amigos da faculdade.

— Foi comigo. Passamos dez dias juntos. Uma redescoberta maravilhosa que a vida me proporcionou viver. Durante aquela viagem nós fomos reapresentados um ao outro.

Estou atônita. Um contentamento toma conta de mim, expulsando o peso que estava ancorado em meu coração.

Nada me oprimia mais do que saber que eu havia afastado pai e filho.

— Obrigada por ter feito isso, Augusto.

— Foi a melhor coisa que poderia ter me acontecido, Sofia. Você não sabe como me dói diariamente a certeza de que ele não existe mais...

Fecho meus olhos. Agradeço a Deus pela dor que nos dói. Uma dor justa, de amor, de saudade. O filho reencontrou o pai. Foi-lhe dado o direito de corrigir o equívoco. A correção também me atinge, corrige em mim a culpa que durante os últimos meses me perseguiu. Tudo em mim está alinhavado, nada solto, tudo pronto, bordado delicado sobre alma, feito pelas linhas da gratidão.

— Precisamos ir. Já são quase três horas da manhã.

— Nosso encontro foi maravilhoso, Augusto. Obrigada por terem vindo!

— Ana, quem agradece somos nós. Você não pode imaginar o quanto foi especial viver tudo isso.

— Sofia, nós ficaremos mais uns dias. Ouvi quando Maria Clara lhe pediu para voltar novamente. Se me permitir, quero vir também.

— Claro, Augusto, vocês serão muito bem-vindos.

Os dois me abraçam. É interessante ter o corpo de Augusto junto ao meu. Um encosto fraterno, livre das pulsões da sexualidade. Um abraço muito mais espiritual do que físico.

— Boa noite, Sofia!

— Boa noite, Augusto.

— Eu voltarei.

— Venha mesmo, Maria!
— Virei.
— Virá, não. Viremos.

★★★

E eles vieram. Duas vezes mais. Num dia vieram para o almoço, mas acabaram passando a tarde. No outro, eles vieram para o café da tarde, mas ficaram para o jantar. Nossas conversas fluíram naturalmente. De repente, todos os receios foram vencidos. A vida em Boston, o nascimento dos filhos, as dificuldades que tiveram, as alegrias, tudo virou pauta. Eu também falei. Sem rancores, até achando graça de mim mesma, relatei minhas manias, falei da vida desagradável que passei a viver. Contei a Augusto tudo o que envolveu o sumiço do Gustavo. Minhas desconfianças, minhas conjecturas.

Anteontem, última vez que vieram, deixaram marcado o almoço de domingo. Pediram-nos a permissão para trazer tudo. Concedemos. Mas, no momento em que saíam, quando acenaram da porta da sala, algo dentro de mim anunciou que o almoço de domingo não aconteceria.

Hoje, sexta-feira, estou certa de que o encontro não será possível. Desde ontem intensifiquei a leitura do último volume da obra de Proust. Finalmente terminei a leitura. O tempo redescoberto dele foi também o meu. Obra e vida coincidiram. A leitura ideal. Nada poderia ter sido mais apropriado. Eu, que tantas vezes desejei ler a obra, de repente, quando já estava esquecida do antigo desejo, recebi o presente de Ana.

Foi o que eu precisava. Ocupar a mente e o coração com a arte, elevar o espírito, ampliar a consciência com os recursos da beleza.

— Sofia?

— Oi, Ana!

— Está tudo bem?

— Sim, está. Terminei o livro.

— Que bom! Já quer que eu providencie outro?

— Não, querida, muito obrigada. Não será necessário.

Ana está na sala. Ela se encaminha até o quarto onde estou. Para à porta, sorri para mim e me olha com amor.

— Por que não será necessário?

Eu não respondo. E não preciso. Ela entendeu. Sei, por uma via que só eu possuo, que meu tempo chegou ao fim. Não há desespero nem angústia. Há a certeza de que poucas horas me separam do fim.

— Quer conversar?

— Quero.

Ana se ajeita ao meu lado na cama. Deito minha cabeça em seu colo, vou me acomodando até ficar em posição fetal.

— Eu ainda não lhe disse, mas você tem sido uma heroína na convivência com Augusto e Maria Clara.

— Eles me fizeram bem.

— Eu sei, mas isso só foi possível porque você se abriu a eles.

— Não faria sentido não me abrir, Ana.

— Mas você poderia ter escolhido não se abrir. Mas não o fez.

— Eu nem acredito que eles estão por perto.

— Virão almoçar depois de amanhã.

— O almoço não acontecerá, Ana.

— O que lhe faz dizer isso?

— Fui comunicada que cheguei ao fim da estrada.

— Quem lhe comunicou?

— Uma voz que passei a ouvir hoje, logo cedo.

— E o que ela diz?

— Que o meu corpo não pode mais prosseguir.

— Está sentindo dor?

— Leve, muito leve. Um desconforto com o qual já me acostumei. Mas o que sinto é mais. Antes, eu estava me alimentando de esperanças. O logo ali do mundo estava à minha disposição. Interrompia a leitura na página 283 e já me preparava para a continuidade. Hoje, ao finalizar a leitura, a esperança não se renovou em mim. E então eu pude ouvir a voz.

— E o que você me diz sobre o que a voz lhe disse?

— Está tudo bem, Ana. Eu só tenho espaço para a gratidão. Estou partindo inteiramente reconciliada com a minha história.

— Quero lhe perguntar uma coisa. Por que você não quis saber o resultado das investigações sobre o Gustavo?

— Porque eu já sei o resultado. Mas eu não quero ouvi-lo de ninguém.

— Por quê?

— Porque tudo está em perfeita ordem. O que Augusto sabe eu também já sei. Embora eu não tenha lido o conteúdo do envelope, eu sei o que nele estava escrito. Esse conhecimento me foi dado aos poucos, à medida que me desvencilhava das torturas do passado. Meu filho está morto, Ana. Mas eu não quis dar o direito a ninguém de me dizer isso. Ainda bem que perdi o envelope. Nem ao delegado eu daria o direito de me dizer a verdade. A frase "Gustavo está morto" me pertence. Só eu posso dizê-la. Por favor, não a repita.

— Não repetirei, meu amor. Ela é sua. Somente sua.

— Mas ela não me dói. Talvez doeria muito se eu a soubesse naquele dia em que voltava para casa, com a correspondência nas mãos. O recado na secretária eletrônica era animador. Eu sabia que o enigma estava solucionado. O delegado sabia que o meu desejo era sepultar a dúvida. Eu já tinha dito a ele que eu precisava de uma resposta, ainda que fosse a certeza de que Gustavo estava morto. O ânimo do delegado não era para me devolver Gustavo. Impossível resgatar alguém vivo depois de tanto tempo desaparecido. O ânimo da voz era porque eu finalmente iria chorar o choro do sepultamento. Iria fechar o ciclo, iria encaminhar meu luto para outras fases. Mas não houve tempo. Eu não consegui voltar à minha casa. Eu não cheguei a abrir o envelope, e ele foi perdido.

— E desde então você começou a reencontrar Gustavo. De outra forma, mas começou.

— Sim, porque o reencontro comigo me colocou diante dele.

— A busca por um resultou no reencontro com os dois.

— Sim, Ana. E foi difícil olhar nos olhos dele.

— Eu sei.

— Eu me vi diante da necessidade de assumir meus erros, de reconhecer os desvios de minha maternidade. Precisei admitir que eu o havia transformado no altar dos meus sacrifícios. Nele eu purguei meus ódios, multipliquei minhas mágoas, pois necessitava de sua ressonância para não me sentir tão só. Ele precisava odiar o mesmo que eu, na mesma quantidade que eu. Seria insuportável enfrentar tudo sozinha. Gustavo foi o maior de todos os amores, mas eu o crucifiquei. E transformei, durante longos anos, a sua vida numa extensão sombria da minha. Deitei sobre ele a toalha de minhas decepções, decorei o seu rosto com as amarguras que estavam grudadas no meu.

— Mas a confissão de Augusto, de que eles reataram o vínculo, mesmo sem sua permissão, não lhe trouxe algum alento?

— Você não imagina o quanto! Foi um alívio saber que ele rompeu o cerco, que ele conseguiu dirimir no Gustavo um pouco das consequências dos meus erros.

— Você percebeu alguma mudança no Gustavo?

— Sim, assim que Augusto confessou que eles se reaproximaram, tentei buscar na memória algo que indicasse a reaproximação. Foi então que me lembrei de um episódio. Certa vez, num momento em que nem estávamos falando de Augusto, Gustavo me surpreendeu com um pedido: "Mãe, eu não gostaria que a senhora falasse mal de meu pai. O que vocês viveram pertence a vocês, não a mim". Foi uma surpresa. Ele fez o pedido e já mudou o assunto, tolhendo qualquer possibilidade de eu perguntar o motivo.

— E você conseguiu ser fiel ao pedido dele?

— Claro que não. Mas eu percebi que ele deixou de corresponder. Sentia que minha ira não o atingia mais. E, com o tempo, eu deixei de falar.

— O que deve ter acentuado ainda mais a sua raiva.

— Com certeza. Ódio pede comunhão, partilha. Odiar sozinho é torturante.

— E quando foi que ele lhe fez o pedido?

— Coincide com o que Augusto falou, ele estava no primeiro ano da faculdade.

— Já era moço.

— Sim. Certamente não foi difícil para Augusto reverter a situação. Gustavo era muito sensível e inteligente. Certamente já tinha percebido a trama de ódio que eu havia, conscientemente, construído para ele.

— Soube discernir.

— Soube. E depois, quando ele desapareceu, veio à tona outra versão de mim. Nos últimos dias, nessas longas viagens interiores que fiz, Ana, descobri o seguinte: a partida de Augusto levou o que eu tinha de melhor. Sinto que a partir daquele momento quem passou a viver foi uma outra Sofia.

— Um outro nascimento.

— Sim, ele me pariu, ele deu à luz uma nova mulher. A mulher que se tornou a casa do ódio, do ressentimento e da mágoa. Essa mulher foi a mãe que Gustavo teve, já que ele só tinha quatro anos quando o pai saiu de casa. Um tempo depois, quando desapareceu, Gustavo pariu uma outra Sofia. Essa nova mulher era pura bravura. Perdi a feminilidade, perdi de vez a vaidade. Os ódios, os ressentimentos e as mágoas ganharam nova roupagem. Deixei de ser a mulher acabrunhada para ser a justiceira. Tornei-me incansável na busca de pistas, qualquer sinal que pudesse nos ajudar a desvendar o enigma do desaparecimento.

— E nunca houve nada de concreto?

— Nada, Ana, absolutamente nada. Um desaparecimento que não deixou rastros. Augusto usou de todas as influências, mas de nada adiantou. Como ele mesmo lhe disse, ele veio inúmeras vezes ao Brasil, tentou de todas as formas buscar respostas para o que aconteceu, mas nada foi encontrado. Uma busca durante meses pelos necrotérios, fotos de Gustavo amplamente divulgadas, mas nunca conseguimos uma pista confiável.

— Às vezes a vida nos fecha todos os caminhos.

— Sim, e foi justamente isso que eu precisei corrigir em mim. A inconformidade me dominou. De duas formas. Primeiro, por eu ter perdido meu marido. Depois, por ter perdido meu filho. Duas perdas que passaram a nortear a minha vida. E com reações diferentes. Durante longos anos com uma morbidade emocional que me paralisou. Deprimida, rancorosa, magoada e letárgica. E sendo mãe do menino que Deus havia me confiado. Imprimindo nele todas as minhas neuroses, compreendo-o como uma extensão de meus fracassos. Gustavo era o meu outro rosto. Tudo o que não cabia em mim, era nele que eu depositava. Fiz dele o meu quarto escuro, o meu calabouço emocional. O que não estava digerido em mim, o que em mim era tóxico e contagioso, era nele que eu regurgitava.

— Mas não cabe culpa, minha amiga. Você o fazia sem consciência da gravidade dos condicionamentos que estavam lhe ordenando a fazer.

— Não é somente culpa, Ana. É também a consciência dando aula, explicando o passado. É a percepção aguçada, fazendo um recuo histórico, passando a limpo a história que escrevi de improviso. Hoje, ao dar o definitivo registro da história vivida, eu o faço doída, repleta de cicatrizes, mas com menos culpa, pois já me perdoei.

— Que bom! Você precisa e merece ser perdoada.

— Ana...

— Oi, meu amor.

— Está chegando a hora...

— A voz voltou a lhe dizer?

— Sim.

— Eu estou aqui para acompanhá-la. Não foi a promessa que lhe fiz, que estaria segurando a sua mão?

— Sim, foi o que me prometeu. Quer que eu dê algum recado a Deus?

— Sim, diga a Ele que cuide bem de meu pai. Que permita que ele more na mesma rua que Cartola.

— Direi. E eu, onde devo morar?

— Na casa ao lado, com um quarto vago, esperando por mim.

— Não vai querer ter a sua casa?

— Não, eu desaprendi de ser só, minha amiga querida.

— E dividirá a eternidade comigo?

— Sim, e não vejo a hora.

— Você ainda vai viver muito, Ana.

— Pode ser que sim.

— Vou sentir tanta saudade, minha amiga!

— Eu também. Vou sentir muita...

— Ana, agora estou ouvindo a voz do Gustavo.

— E o que ele está dizendo?

— *Mãe, eu vim para buscá-la. Venha comigo!*

— E o que você vai responder?

— Que estou dividida. Quero ir, mas quero ficar com você. O que eu devo fazer, Ana?

— Faça o que achar ser o mais justo. Você não queria tanto reencontrá-lo?

— Sim, mas eu também não quero deixar você.

— E quem disse que você poderá me deixar? Você continuará comigo, guardada no lugar mais sagrado, no território onde meus amores construíram condomínio.

— Não me esqueça, Ana!

— O amor já lhe deixou eterna, minha amiga.

— Ana, estou sentindo uma frieza tomar conta do meu corpo.

— É o fogo se esvaindo, meu amor. O vento vai soprando nas extremidades, até chegar ao coração. Quem nos leva é o vento. Não porque chega, mas porque se extingue.

— Está ventando dentro de mim?

— Sim, o sopro está partindo.

— O sopro inaugural.

— Aquele que um dia lhe permitiu o primeiro compasso pulmonar, iniciando uma conexão entre os órgãos, num belíssimo funcionamento.

— O primeiro choro.

— Sim, o que a acordou, quebrou a letargia simbiótica que lhe era imposta pela sua mãe.

— Ana, posso lhe fazer um pedido?

— Todos.

— Cante para mim.

— O que você quer ouvir?

— "Resposta ao tempo".

Ana permanece em silêncio. Percebo suas lágrimas. O vento que me varre por dentro é frio como os ventos do inverno. É o fogo se extinguindo, partindo de mim. Ana começa a cantar...

E o tempo se rói
Com inveja de mim
Me vigia querendo aprender
Como eu morro de amor
Pra tentar reviver...

Então Ana pediu:

— Canta comigo?

E cantamos juntas:

No fundo é uma eterna criança
Que não soube amadurecer
Eu posso, ele não vai poder
Me esquecer...

Minha voz se mistura à de Ana. Continuo debruçada na clausura de seu colo. Uma de suas mãos afaga os meus cabelos, a outra segura as minhas mãos. Há uma transfusão acontecendo. Enquanto o meu corpo esfria, o de Ana se aquece.

O fogo que em mim se extingue, nela se acende ainda mais. Estou sendo transferida, como se minha essência fosse nela se hospedar. Aos poucos, bem aos poucos, vou percebendo o silenciar de minha vida interior. Os órgãos estão se despedindo uns dos outros. Um ritual bonito, íntimo, particular. Uma metáfora me ocorre. A orquestra está terminando a execução da sinfonia.

Os músicos se olham, baixam seus instrumentos, volvem o rosto num aceno elegante. Tudo está parando, cada órgão está deixando de fazer a parte que sempre fez, pois participava do pacto de colaboração.

O pacto chegou ao fim. O sopro se extingue. Meu coração para. Em poucos segundos os pulmões também. O cérebro recebe o comunicado. Ele é o último na lista da desconvocação. Apagam-se as luzes.

Acende-se a essência.

Leia também:

- **Por onde for o teu passo, que lá esteja o teu coração** — Pe. Fábio de Melo
- **É sagrado viver** — Pe. Fábio de Melo
- **Orfandades: O destino das ausências** — Pe. Fábio de Melo
- **Crer ou não crer: Uma conversa sem rodeios entre um historiador ateu e um padre católico** — Pe. Fábio de Melo e Leandro Karnal (prefácio de Mario Sergio Cortella)
- **O discípulo da madrugada** — Pe. Fábio de Melo
- **Quem me roubou de mim?** (edição atualizada e ampliada) — Pe. Fábio de Melo
- **Mulheres de aço e de flores** — Pe. Fábio de Melo
- **Mulheres cheias de graça** — Pe. Fábio de Melo
- **Tempo de esperas: O itinerário de um florescer humano** — Pe. Fábio de Melo